RICHARD JONES

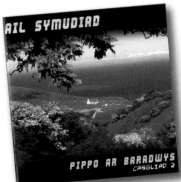

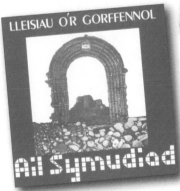

Garej Paradwys

Atgofion drwy Ganeuon
Ail Symudiad

RICHARD JONES

Gwasg Carreg Gwalch

Argraffiad cyntaf: 2019

Rhif Llyfr Safonol Rhyngwladol:
978-1-84527-720-8

Cyhoeddwyd gyda chymorth Cyngor Llyfrau Cymru

Dylunio'r clawr: Eleri Owen
Gwaith celf cloriau: Malcolm Gwyon/Dafydd Jones
Lluniau: Wyn L. Jones
Llun Ail Symudiad (ar y cefn a chyferbyn): Stan Williams
Yr aelodau yn y llun (o'r chwith):
Wyn, Richard, Lee Mason (ar y railing) a Dafydd

Cyhoeddwyd gan Wasg Carreg Gwalch,
12 Iard yr Orsaf, Llanrwst, Dyffryn Conwy, Cymru LL26 0EH.
Ffôn: 01492 642031
e-bost: llyfrau@carreg-gwalch.cymru
lle ar y we: www.carreg-gwalch.cymru

Argraffwyd a chyhoeddwyd yng Nghymru

Cyflwynedig i Ann, Dafydd, Osian a Wyn

Diolch i'r holl bobl yn y byd pop a roc Cymraeg am eu cyfeillgarwch diffuant. Hefyd i ddilynwyr Ail Symudiad am y gefnogaeth frwd ar hyd y blynyddoedd – mae'n golygu llawer i ni.

Diolch i Wasg Carreg Gwalch am y cyfle i ysgrifennu'r llyfr hwn ac i Lyn Ebenezer a Geraint Løvgreen am gydweithio â ni.
Diolch yn fawr!

RHY FYR
I FOD
YN
JOCI

Cynnwys

Y Ffordd i Senart

Codi'n gynnar, gynnar yn y bore
Mynd lawr ac eistedd ar y bont
Gweld pob modur yn pasio heibio
Ac ambell garafan yn chwilio am 'beauty spot'

Alla i gwybod y ffordd i Senart (Cenarth)
Mae nhw'n dweud ei fod yn lle eitha braf

Dod lawr yn eu cannoedd
I'r ardal ger y môr,
Methu deall ambell arwydd
Wedi eu peintio yn wyrdd siŵr o fod

Alla i wybod y ffordd i Senart (Cenarth)
Mae nhw'n dweud ei fod yn lle eitha braf

Ar ddiwrnod pan mae'n glawio
Mae tyrfa fawr ar hyd y lle
Wedi ffoi oddi wrth y traethau
I lenwi eto yr hyfryd dre

Ger hen bont Aberteifi – 'Dim Cenarth yw enw'r lle i fod?'

Fel brodor o dref Aberteifi, tynfa fawr misoedd yr haf, yn enwedig i ni fois ifanc ochr Sir Benfro o'r dre – hynny yw Ridgeway, Tenby Road neu Landoch (Llandudoch) – oedd pysgota o'r bont a'r cei. Do'n ni ddim eto wedi dechre mynd i fyny'r afon tuag at Gilgerran, ble roedd y sewin a'r samwn yn heigio. Fe ddaeth hynny nes ymlân.

Roeddwn i ar y pryd tuag un ar bymtheg oed. Hwn oedd yr amser cyn codi pont ffordd osgoi canol y dre. Felly fe fydde nifer fawr o ymwelwyr yn dod mewn i'r dre dros yr hen bont, a adeiladwyd yn gyntaf yn 1136 fel un bren ac wedyn yn bont garreg ym 1639. Ar un adeg roedd y porthladd yn fwy prysur na hyd yn oed dociau Lerpwl, ac mae'r olion hanesyddol yma o hyd.

Y pysgod fyddwn i'n ceisio eu dal oedd hyrddyn (*mullet*) a draenogod y môr (*bass*). Ond gan amlaf,

9

llyswennod fyddai'n gwingo ar ben arall y lein. Byddai rhai ymwelwyr yn eu ceir, o'n gweld ni'n pysgota o'r bont, yn stopio a gofyn am y ffordd i wahanol lefydd, ac yn aml yn methu ynganu enwau Cymraeg. Fe âi Bridell yn 'Bridle' a Gwbert yn 'Jwbert'. Ond yr un a wnâi greu'r difyrrwch mwyaf i fi oedd 'Senart', hynny yw, Cenarth ble mae'r rhaeadr enwog. A hyn wnaeth symbylu'r gân yn ddiweddarach.

Roedd hwn yn gyfnod o ddarganfod, o arbrofi. Dyma'r adeg pan brynais i gitâr acwstig ail-law wrth un o'm ffrindiau ysgol a dechrau potsian chwarae â'r tannau. Ro'n i hefyd yn chwarae'r organ yn yr Ysgol Sul ym Methania, Capel y Bedyddwyr yn y dre. Ac wrth ymarfer ambell waith yn y capel, fe fyddwn i'n chwarae caneuon pop ar yr organ bib. Rwy'n cofio un tro y gweinidog yn cerdded mewn a chael sioc o glywed tonau nad oedd yn debyg i 'Calon Lân' neu 'Rho im yr Hedd'. Fe ges i bregeth, er nad oedd hi'n brynhawn Sul!

Doeddwn i ddim yn hoff iawn o'r ysgol uwchradd, a heb fod yn swot o bell ffordd. Ac yn eironig, Saesneg oedd un o'r ychydig bynciau wnes i'n dda ynddo. Ond fe wnes i lwyddo i basio tair Lefel 'O' – neu *GCSEs* fel maen nhw'n cael eu galw nawr – sef Llenyddiaeth Gymraeg, Saesneg Iaith a Llenyddiaeth Saesneg. Fe ges i fy nisgrifio fel 'daydreamer' gan un o'r athrawon. Yn hytrach na chanolbwyntio ar y wers, fe fyddwn i'n mesan abiti a siarad gormod. Doedd dim pêl-droed ar gwricwlwm yr ysgol, felly doedd chwaraeon ddim yn apelio chwaith. Ond fe wnes i unwaith redeg y 75 metr yn Chwaraeon y Sir yn Aberystwyth a dod yn drydydd.

Yn ystod gwyliau un haf fe ges i jobyn am chwe

wythnos yn gweithio yn Slimma, y ffatri ddillad yn y dre ble'r oedd tua thri chant yn gweithio yn y dyddiau hynny. Wedyn, ar ôl gadael ysgol fe ges i swydd llawn amser yno. Ond roedd fy rhieni am i fi gael rhyw fath o grefft. Felly fe ges i brentisiaeth gydag E. L. Jones, Argraffwyr. Er i fi fod yn hwyr o ran oedran yn dechrau – ro'n i'n ugain – roeddwn i eisoes wedi cael profiad o ddwy Eisteddfod Genedlaethol dan fy melt, sef Hwlffordd 1972 a Chricieth dair blynedd yn ddiweddarach. Sai'n credu i fi gael fy ngeni i fod yn wersyllwr. Roedd Hwlffordd yn shambyls llwyr; cysgu mewn pabell oedd yn gollwng dŵr a gorfod dygymod â'r holl drafferthion oedd hynny'n ei greu. Dim syniad am goginio tu allan. Ceisio mynd mewn i'r Maes heb dalu, dan y weiren. Ac ar ôl cael fy ngwahanu oddi wrth gang Aberteifi un noson, fe weles i Jac yr Undeb yn cyhwfan i fyny ar bolyn ger yr afon. Draw â fi a dringo'r polyn i geisio tynnu'r faner lawr. Ond a finne hanner y ffordd i fyny fe ddaeth car mewn i'r maes parcio yn llawn bechgyn a merched ifanc. Fe wnaethon nhw aros a fy ngwylio i am sbel. Ond yn sydyn gwaeddodd un o'r bechgyn:

'What the f**k do you think you're doing?'

Ar hynny dechreuodd y pedwar oedd yn y car redeg tuag ata'i. Fe ddisgynnais i lawr y polyn yn gyflymach na Sam Tân. Ac fe wnes i fanteisio ar fy mhrofiad o sbrinto gan redeg am y dre a diflannu lawr un o'r strydoedd cul. Dihangfa gyfyng!

Dair blynedd wedyn daeth Eisteddfod Cricieth; honno'n dwyn atgofion dipyn mwy melys. Roedd gan griw ohonon ni gar, a hynny'n rhoi cyfle i ni deithio. Felly ynghyd â mynd i'r Steddfod ac ambell gig, fe aethon ni i

Lanberis a cherdded hanner y ffordd i fyny'r Wyddfa. Fe aethon ni hefyd am drip i Landudno yn y fargen. Fe gafodd Gogledd Cymru argraff fawr arna'i. Ond doedd gen i ddim syniad bryd hynny y byddwn i'n chwarae mewn band yn weddol reolaidd yno yn y dyfodol.

Yn rhyfedd iawn, pan ddaeth yr Eisteddfod i Aberteifi yn 1976, fyddwn i ddim yn mynd allan gymaint i'r dre. Ond yn lletya yn ein tŷ ni roedd y bardd Gwilym R. Jones. Roedd nifer o bobol y dre yn cynnig llety i eisteddfodwyr. Bryd hynny roedd llawer o sêr y byd pop Cymraeg a phobl enwog yng Nghymru yn ddieithr i fi. Ond rwy'n cofio gweld bois Edward H. yn crwydro'r Maes.

Eisteddfod y Wes Wes oedd Eisteddfod Aberteifi, gan fod y dre ar y ffin rhwng Sir Benfro a Cheredigion. Mae 'Wes Wes' yn gyfeiriad at y dafodiaith leol, a 'nhafodiaith i hefyd. Roedd W.J. Lewis, fy nhad-cu, yn dweud 'wêr' am 'oer' a 'cwêd' am 'coed'. Fel'ny y siaradai Mam-gu hefyd, honno'n dod o Hermon ger Crymych, o'r un pentre â mam yr actorion Rhys Ifans a Llŷr Evans. Sdim byd yn well na thamed o *name-dropping*, oes e? Ond fe ddwedodd Elton John wrtha'i ryw dro i stopo gneud hynny!

Y tri pheth ro'n i'n hoffi, ac yn dal i wneud, yw cerddoriaeth, pêl-droed a byd natur. Ar un adeg fe wnes i chwarae i dîm lleol Aberteifi a hefyd Sporting Maesglas, clwb arall yn y dre. Cyn i Ail Symudiad ffurfio ro'n i'n chwarae piano yn nhafarn y Bell yn y dre, ac yn cael £5 bob nos Wener am chwarae cymysgedd o emynau a chaneuon pop gan artistiaid fel Mott the Hoople, Slade a thonau poblogaidd y 50au a'r 60au. Yr unig drafferth gyda hyn oedd colli mas ar gwpwl o beints mewn tafarndai eraill rownd y dre gyda ffrindiau. Petawn i'n digwydd mynd i dafarn arall ble roedd piano (roedd un mewn ambell i dafarn yn Aberteifi bryd hynny) bydde'r bois yn annog:

'C'mon Rich, jwmpa ar y piano!'

Un o'r rhai fydde'n gwrando weithie fydde Hywel Davies, a aeth ymlaen i fod yn joci llwyddiannus gan ennill y *Grand National* ar 'Last Suspect' yn 1985 ar *odds* o 50-1.

Gyda'r nos fe fyddwn i'n gwario llawer o amser yn fy stafell wely yn gwrando ar recordiau – disgiau feinyl wrth gwrs – ac ambell gasét. Byddai bron bob math o gerddoriaeth yn apelio bryd hynny. Fe ddechreuais arbrofi ar y gitâr, ond yn chwarae *air guitar* gan amlaf, sef rhyw actio chwarae i gefndir y recordiau. Wedyn bydde mam yn gweiddi o waelod y grisiau: 'Tro'r sŵn 'na lawr!' Yn y gwely erbyn nos byddai'r radio fach o dan y glustog a Radio Luxembourg yn sibrwd yn fy nghlustiau'n hwyr y nos gyda'r DJ Tony Prince yn troelli a chlebran. Ymhlith fy hoff artistiaid bryd hynny roedd y Carpenters, Smokey Robinson, Slade, Elton John, Gilbert O'Sullivan a lot fawr o fiwsig *soul*. Ar y radio honno y clywais y newyddion syfrdanol fod Elvis wedi marw ym mis Awst 1977 yn 42 oed. Bu'n sioc enfawr. Roedd rhywbeth arbennig am y gŵr cymharol swil hwn, y cyn-yrrwr lori â'r llais unigryw. I fi mae'n dal y llais gorau a glywais erioed.

Byddai pennaeth Clwb Ffans Elvis Aberteifi a'r Cylch yn trefnu nosweithiau, ac fe es i gyda Wyn i un ohonyn nhw. Fe gafwyd llawer mwy o aelodau i'r clwb ar ôl i Elvis farw. Noson swreal i ddweud y gwir oedd hon, a'r DJ o Gaerdydd, oedd ddim ond jyst dros bum troedfedd ac yn foel, wedi newid ei enw i Elvis Presley. Roedd rhai bois lleol wedi steilio'u gwallt fel y Brenin Roc a Rôl. Mentres i ddweud wrth y bachgen oedd yn gwerthu memorabilia a chrysau-T fy mod i'n hoffi Chuck Berry yn fawr hefyd. Camgymeriad!

'There's only one King, mate!'

'Yeah, I know. But you can like other rockers, Jerry Lee, Buddy Holly...'

Cyn i fi gael gorffen, wedodd e, 'You gonna buy something or what?' Prynes i gwpwl o fathodynnau a sticyr car er mwyn tawelu'r dyfroedd.

Yn groes i'r graen i berchennog y siop recordiau yn y dre, fe fyddwn i'n ei boeni a'i boeni byth a beunydd am iddo gael mwy o recordiau Cymraeg yn y siop. Byddwn yn gymaint o niwsans fel iddo fy ngyrru allan droeon. Ond roedd Siop y Castell yn gwerthu recordiau a llyfrau Cymraeg hefyd ac rwy'n cofio gweld Huw Jones yn dod allan o fan mini gyda 'Sain' mewn llythrennau coch ar ochr y cerbyd. Erbyn hyn roedd y diddordeb mewn gwella fy ngallu ar y gitâr yn tyfu. Roedd hi'n bryd felly i fi gael offeryn teidi. A dyma gael un acwstig gan fy rhieni yn anrheg pen-blwydd. A dyna pryd wnes i roi cynnig ar ysgrifennu caneuon am y tro cyntaf a dysgu mwy o gordiau trwy brynu llawlyfr hyfforddi. Roeddwn i hefyd yn treial ysgrifennu ar gyfer y piano. Yn wir, gymaint oedd fy uchelgais fel i fi hyd yn oed feddwl am *stage name* ar gyfer canu'n Saesneg. Yr enw a ddewisais oedd Edward Bartholomew! Enw *catchy* neu beth?!

Rhaid bod y diddordeb mewn miwsig yn y gwaed. Glöwr oedd Tad-cu, David Richard Jones, un a'i wreiddiau yng ngogledd Ceredigion, sef Goginan, pentre bach heb fod ymhell o Aberystwyth. Yn ôl beth ydw i'n ddeall roedd ganddo wreiddiau Sbaenaidd. Ond oedd, roedd miwsig yn y teulu a Moelwyn fy nhad, o Bontycymer ger Pen-y-bont ar Ogwr, yn chwarae mewn band pres yn blentyn a chanu mewn côr wedyn. Ar ochr Betty, fy mam, roedd gen i fodryb oedd yn cyfansoddi emynau. Pan oeddwn i'n ifanc roedd mam yn ffrindiau gyda'r dramodydd Alun Owen, a oedd wedi bod yn efaciwî o Lerpwl gyda fy ngor-ewythr, oedd yn berchen ar siop dillad D.N. Lewis yn y dre. Roedd Alun wedi dychwelyd ddiwedd y 60au gyda'i wraig. Roedd ganddyn nhw dŷ yn Llandudoch ac roedd Aberteifi a'r fro yn annwyl iawn iddo. Erbyn hynny roedd e'n fyd-enwog. Fe ysgrifennodd Alun lwyth o ddramâu. Efe wnaeth ysgrifennu'r sgript ar gyfer y ffilm *A Hard Day's Night* ar gyfer y Beatles. Fe ryddhawyd y ffilm yn 1966. Fe ges i a Wyn fy mrawd y cyfle i gwrdd ag e a gwrando ar ei straeon difyr am y 'Fab Four'.

Mae tipyn o sôn amdano yn llyfr William Howells *Saturday Night at the Black*, sy'n cyfeirio at y neuadd ddawns tu cefn i'r dafarn yn Aberteifi. Ac fel mae William yn dweud, roedd bandiau o ardal Lerpwl oedd yn dod yno'n galw Aberteifi yn 'Little Merseyside', grwpiau fel Rory Storm and the Hurricanes a Ricky and the Raiders i enwi dim ond dau. Mae sôn bod y trefnwyr wedi treial cael y Beatles i ddod yno. Fe ymddangosodd Screaming Lord Sutch a'i fand yno gyda thyrfa enfawr wedi dod i'w gweld. Trueni nag oes neuadd ddawns yma nawr.

Y prif ddiddordeb oedd yn dod ochr yn ochr â miwsig pan o'n i'n llanc oedd pêl-droed. Ond ynghyd â threfnu bysiau mini ar gyfer mynd i gemau Cymru yn Wrecsam, Caerdydd ac Abertawe, a gemau gatre'r Swans, roedd y gitâr yn dod yn fwyfwy pwysig. Felly fe wnes i fentro ysgrifennu caneuon fel 'Cadno Caria Mlaen', cân am y toffs oedd yn dilyn cŵn hela. 'Bocs Bach Carbord' wedyn am y sawl oedd yn cysgu'n rwff mewn dinasoedd. Ond doeddwn i ddim yn mynd i unrhyw gyfeiriad arbennig. Yna fe ddaeth y goleuni. Fe wnes i ddechre gwrando o ddifri ar gerddoriaeth pync a'r don newydd a'r bandiau ffantastig oedd o gwmpas. Wedyn, ar ôl sbel, roeddwn i a Wyn yn meddwl dechre band gyda'n ffrind Malcolm Gwyon. Ac yn sgil hyn y ganwyd Ail Symudiad wrth gwrs. Ond cyn cyhoeddi hyn fe wnaethon ni ymarfer am o leiaf chwe mis, a newid aelodau gyda'n cefnder Gareth Lewis yn mynd ar y drymiau a Malcolm yn rheolwr arnon ni.

Jyst ar ôl ffurfio'r band fe wnaeth Malcolm, fi a Wyn fynd i gig ym Mhrifysgol Aberystwyth yn y Neuadd Fawr. Roedd Mal yn ffan mawr o Be-Bop Deluxe, cyn-fand Bill Nelson. Y noson honno, ei fand newydd Red Noise oedd yn chwarae. Ar ôl bod yn y Cŵps am hanner awr, nethon ni gerdded i fyny'r rhiw am y neuadd. Ac yn sydyn stopiodd car a phedwar dyn ynddo a gofyn i fi, gan fy mod i'n cerdded sbel y tu ôl i'r lleill:

'Can you tell us where the Great Hall is please?'

Finne'n gofyn, 'Why? Are you going to the gig?'

Ar hynny fe droiodd Malcolm rownd a sylweddoli pwy oedd yn y car, sef Bill a'i fand! Dyma Mal yn ymddiheuro ar fy rhan i.

'Sorry! Sorry! Sorry! he didn't recognise you!'

A wedyn rhoi'r cyfarwyddiadau iddyn nhw. Roedd Mal ychydig yn grac gyda fi.

'Ma Be-Bop Deluxe wedi bod ar *Whistle Test a Top of the Pops*, ychan!"

'Roedd hi'n dywyll!' medde fi.

Agoriad llygad oedd gweld y band yma'n perfformio. Doeddwn i ddim wedi gweld band proffesiynol yn fyw erioed o'r blaen. Ac ar ddiwedd y nos, fe nethon ni fynd tu ôl y llwyfan i gwrdd â nhw. Fe wnes i ymddiheuro am beidio â'u nabod nhw. Ond roedden nhw'n fonheddig iawn. Wnes i esbonio ein bod ni wedi dechre band Cymraeg a theimlais fod ganddyn nhw wir ddiddordeb yn y fenter. Doedd ddim pennau mawr gan y bois hyn.

Un o'r caneuon cyntaf wnes i gyfansoddi o dan faner y band oedd 'Y Ffordd i Senart', y gân honno a ysbrydolwyd, fel y soniais yn gynharach, gan dwristiaid twp yn holi am y ffordd i Genarth. Mae hi'n dwyn ar gof ramant y dyddiau cynnar. Roedd hwn yn amser cynhyrfus iawn a chawsom fel band ganiatâd i ymarfer yn festri'r Tabernacl, Aberteifi, diolch i 'nhad. Yn ffodus iawn i Wyn a fi, roedd e'n ddiacon parchus yno. Yn wir, fe wnaethon ni feddwl am Y Diaconiaid fel enw ar y band. Meddyliwch y posibilrwydd, y Diaconiaid yn chwarae gyda'r Ficar! Roedd hwn yn waith caled. Fe fydden ni'n cwrdd bedair noson yr wythnos a chan fod y festri â'i chefn at y maes parcio a stad cyngor Bron-y-dre, fe fydde ambell ymwelydd yn pipo mewn. Byddai bois Bron-y-dre hefyd yn dod mewn i eistedd, ac ambell waith yn chwarae dartiau a snwcer gan fod yr adnoddau hynny yno ers dyddiau Aelwyd yr Urdd. Y festri oedd y man cwrdd. A phan oeddwn i'n aelod o'r Aelwyd flynyddoedd cyn hynny, fe aeth criw ohonon ni i *Disc a Dawn* lawr i Gaerdydd, a chwrdd â Mici Plwm am y tro cyntaf. Roedd Disco Mici Plwm yn enwog ledled Cymru bryd hynny.

Roedd yr ymarfer a'r perfformio'n dalcen caled ambell waith, rhai o'n cyfoedion oedd wedi mynd bant yn dod nôl am dro ac yn methu deall pam oedden ni'n canu yn Gymraeg. Rhaid cofio nad oedd band Cymraeg wedi dod o'r dre na'r ardal o'r blaen. Ond roedd y tri ohonon ni'n benderfynol o newid hynny. Roeddwn i wedi cael llond bol ar y cyfoedion hyn oedd yn dod nôl o brifysgolion a cholegau ac yn dweud yn goeglyd:

'Oh, you've stayed in Cardigan then?'

Finne'n ateb braidd yn grac: 'If we all went away like you, there wouldn't be a Cardigan, would there?'

Ro'n i'n uniaethu llawer mwy gyda bois dosbarth gweithiol y dre, Llandoch a Chilgerran, ac yn mwynhau eu cwmni. Rwy i mor falch mai rhain oedd fy ffrindiau, bryd hynny ac o hyd. Diolch i Dduw amdanyn nhw. Ond yn anffodus, mae yna lawer sydd wedi mynd ar goll ar y ffordd i Senart.

Modur Sanctaidd

Es i mâs am hwyl rhyw nosweth
Ges i fenthyg y car,
Popeth yn iawn ond ar y ffordd adre
Es i mewn i'r clawdd,
Roedd yr ochr mewn a'r gwydr mas
A'r paent i gyd yn cario marciau cas,
Beth dwi'n mynd i neud
Siwt dwi'n mynd i ddweud
Bod y modur sanctaidd wedi marw
Y modur sanctaidd wedi marw

Ffonio am dacsi mae'n hanner nos nawr
Pump ceiniog yn y slot,
Dwylo'n siglo fy nghalon yn curo
Dwi ishe rhedeg bant,
Gweld y sefyllfa ishe stori dda
Y cynllun gorau bydde gadael y wlad
Beth dwi'n mynd i neud ...

Dyma'r modur oedd ddim mor sanctaidd i 'Nhad

Cynhyrfus. Dyna'r gair i ddisgrifio dyddiau cynnar Ail Symudiad. Ac mae'r atgof yn glir o fynd i recordio sesiwn radio am y tro cyntaf ar gyfer y rhaglen *Sosban*, dan ofal Eurof Williams, a'r sioc bod fy ngitâr i'n doji, i ddweud y lleia. Yn ffodus roedd gen i ail gitâr, un ddu, ond roedd yn well gen i liw'r llall. Roedd hi ar siâp Stratocaster, ond yn dod o Woolworths ac yn costio tua £30!

Roedd y stiwdio'n un anferth, a cherddorfa'r BBC yn recordio yno hefyd ar adegau. Wrth fynd i'r cantîn i ginio gwelwyd ambell seléb ac actor opera sebon. Un tro mewn siop ddillad yng Nghaerdydd sawl blwyddyn ar ôl hyn, fe weles i un o'r actorion yna – ro'n i'n digwydd bod yn ei nabod erbyn hyn – a gofynnais, 'Wyt ti'n actio nawr, neu wyt ti yn Pobol y Cwm?!' Fe wna'th e wenu ychydig gan ddweud, 'O, wyt ti'n damed bach o *gomedian* y dyddie 'ma wyt ti?!'

Yn ystod y brêc cinio ar ddiwrnod y sesiwn sylwodd fy mrawd ar ddyn oedd yn bwyta gydag angerdd, ac fe ddisgrifiodd Wyn hynny fel 'bwyta'n broffesiynol'. A chymerais y lein yna fel teitl un o ganeuon Ail Symudiad fyddai'n ymddangos ar record hir yn y dyfodol. Roedd hyn i gyd ychydig ar ôl gigs y gwanwyn a'r haf, gan gynnwys chwarae yn Eisteddfod Caernarfon 1979. Dyna oedd gwir ddechreuad gyrfa'r band o ran gigs. Gan mai triawd oedden ni bryd hynny, ro'n i'n teimlo bod ishe sbienddrych i edrych ar Wyn yr ochr draw i'r llwyfan anferth ym mhabell fawr Twrw Tanllyd. Roedd y nerfau yn waeth yn Sesiynau Sgrech yng Nghanolfan Tanybont (gan fod y gynulleidfa'n agosach) ac fe ddechreuais i feddwl, 'Pam wyt ti'n gneud hyn?' Ond gwyddwn y byddai cwpwl o lagyrs yn tawelu fy nerfau.

Peth arall oedd y ffaith na fyddwn i'n gwisgo sbectol ar lwyfan. Ac i'r rhai mwya sylwgar, dwi ddim yn gwneud hynny hyd heddiw. Pan y'ch chi'n arbennig o fyr eich golwg, allwch chi ddim gweld wynebau yn y dorf. Mae hynny'n helpu'r nerfau: i fi beth bynnag. Ond dyw e *ddim* yn helpu os y'ch chi'n cerdded trwy'r dre heb sbectol a ma rhywun yn gweiddi allan, 'Snob!' Finne'n gorfod ateb, 'O, sori mêt, weles i ddim 'o ti!'

Roedd Wyn a finne'n ffodus i gael rhieni eitha *laid back*, yn enwedig ein tad Moelwyn a oedd yn fodlon benthyca'i gar i ni fynd o gwmpas. Fe fydden ni'n llogi fan transit ar adegau hefyd wrth gwrs. Roedd cwrdd â gwahanol aelodau o grwpiau eraill yn braf, ac yn y broses o berfformio, gwneud ffrindiau gyda nifer o ffans y band hefyd.

Ym 1980 daeth mwy o alwadau arnom i berfformio, o Flaendyffryn i Sir Fôn ac o Gaernarfon i Gaerdydd. Roedd hi'n anodd ambell waith i ffitio popeth mewn i waith pob dydd ac, os ymhell o Aberteifi, cyrraedd adre'n hwyr. Rwy'n cofio dod nôl o Ben Llŷn am 4.00 y bore a mynd i'r gwaith erbyn 8.00! Dim rhyfedd y bydden i'n gwneud camgymeriadau yn fy ngwaith argraffu o bryd i'w gilydd, fel staplo tair mil o docynnau raffl mewn llyfrau o bedwar yn lle o dri. Neu shafio i ffwrdd enw'r adeiladwr ar y gilotîn ar lyfrau infois A5 – clyfar iawn! Ac wrth gwrs, cyrraedd y swyddfa argraffu'n hwyr. Ar un adeg roedd gen i feic, ac un bore, yn fy hast i gyrraedd y gwaith fe wnes i yrru mewn i gefn lori ar y bont a chael fy nhaflu tuag at wal. Yn ffodus roedd y lori'n mynd yn araf felly ches i ddim llawer o niwed.

Ar ôl bod yn gweithio i E. L. Jones am sawl blwyddyn, cefais hyfforddiant ar y Linotype, sef peiriant teipio, gyda'r leins yn dod allan mewn plwm poeth. Y dywediad yn y busnes argraffu ym Mhrydain yr adeg honno oedd 'hot metal'. Roedd papurau Fleet Street fel y Daily Mirror a'r Mail i gyd yn defnyddio'r peiriannau metal poeth yma.

Fyddwn i ddim ar y beic bob bore wrth fynd i'r gwaith. Roedd y bompren yn llawer saffach ac yn rhoi cyfle i fi weld y llanw a thrai, sydd yn mynd mor bell â Llechryd tua phedair milltir i ffwrdd. Weithiau, pan mae'r gwynt o'r cyfeiriad iawn, mae'n bosib arogli'r môr a'r gwymon wrth i'r dŵr lifo dan y bont. Jyst ar ôl i'r afon adael Aberteifi mae 'na le o'r enw Caernarfon, am mai llechi Caernarfon oedd yn cael eu hallforio o'r harbwr ynghyd â samon, sgadan ac ŷd, neu lafur i ni. Ac mae un o'r adeiladau storio llafur a nwyddau tebyg yno o hyd – adeilad cadarn, tal, ac olion y rhaffau mawr trwchus yn dal i'w gweld. Pan es i am y tro cyntaf i Gaernarfon, roedd fel mynd i arall fyd gyda'r sewin yn neidio, ac adar amrywiol gan gynnwys y prydferth Glas-y-dorlan. Sdim rhyfedd bod rhai yn galw'r Teifi'n Frenhines Afonydd Cymru. Os y'ch chi'n amau hynny, cofiwch eiriau Cynan, a aeth '... o erddi Paradwys i Deifi am dro.'

Cafodd y band ei ddewis i fod yn rhan o fenter 'Senglau Sain', gan wireddu breuddwyd i fi'n bersonol. Nawr bydde fy nghaneuon i'w clywed trwy gyfrwng Ail Symudiad, a'r pryd hyn cafwyd aelod arall, sef Robin Davies ar y gitâr rhythm. Stiwdio newydd Sain yn Llandwrog oedd y lleoliad, a ni oedd y band cyntaf i recordio yno. Y caneuon oedd 'Whisgi a Soda' ac 'Ad-drefnu' – roedd yr ail yn boblogaidd mewn gigs gan ei bod hi'n cyflymu tuag at y diwedd. Recordiwyd y cyfan mewn diwrnod, ac ynghyd â Hefin Elis y cynhyrchydd, roedd gŵr o'r enw Simon Tassano, yn gweithio yn Sain fel peiriannydd. Pan ryddhawyd y record, daeth galwad i ni berfformio ar *Sêr*. Ond cyn hynny saethwyd fideo o 'Whisgi a Soda' yng Ngwesty'r Cliff, Gwbert a chafodd ei ddarlledu ar raglen newyddion y BBC tua 7.00 y nos. Sa'i cweit yn deall pam oedd fideo roc ar raglen newyddion. Mae'n bosib mai am y rheswm mai ni oedd y band Cymraeg cyntaf o'r dre a'r ardal. Anghofia' i byth weld wyneb y cyflwynydd Robin Jones ar ddiwedd y gân. Roedd e'n edrych fel petai e'n meddwl ein bod ni newydd ddisgyn i'r stiwdio lawr o Mars!

Fy stafell wely oedd fy 'stafell gerddoriaeth', lle byddai'r gitâr acwstig, y chwaraewr recordiau a'r radio, a fan hyn byddwn i'n sgriblo syniadau caneuon, yn nodi'r geiriau a gweithio ar y tonau. Penderfynais beidio ysgrifennu am gariad a phethe lyfi-dyfi. Er bod cariad yn bwysig yn fy mywyd i, roedd pawb yn canu am hynny. Ro'n i ishe bod yn wahanol. Rwy'n cofio Dods, neu Rhodri o'r Trwynau Coch, yn gofyn beth oedd fy nhestunau newydd. Finne'n ateb fy mod i'n gweithio ar 'Yn y Ddawns Blastig', cân am gerddoriaeth disgo, er fy mod i'n hoff o Chic a Donna Summer nawr. A hyd yn oed 'Pobl y Pentre' (*Village People*) a chytuno gyda phob gair o 'Go West'!

Ro'n i'n edmygwr mawr o Dods. Fe oedd yn ysgrifennu caneuon i'r Trwynau ac ro'n i'n arbennig o hoff o'r gân 'Wastod ar y Tu Fas'. O sôn am y Trwynau, fuon nhw'n dda iawn i ni. Cymeriadau eraill oedd o gwmpas oedd y Ficar ac Angylion Stanli, a daeth aelodau'r bandiau hyn yn ffrindiau hefyd. Roedd Himyrs yn dechrau dynwared yr adeg yma, a ninnau'n cael lot o sbort yng nghwmni'r criwiau hyn. Roedd yr Angylion ymhell o fod yn angylion, ond roedd eu cwmni yn heintus – grŵp roc a rôl go iawn. Ar Faes yr Eisteddfod un tro daeth un o ffrindiau'r Angylion i fyny ata'i a dweud: 'Cyn cwrdd â chi, o'n i'n meddwl bod chi'n dwats. Ond dy'ch chi ddim!' A jyst cerdded i ffwrdd. 'Diolch yn fawr,' meddyliais. 'Caredig iawn!' Roedd y rhan fwyaf o fandiau ac artistiaid yn gyfeillgar iawn yr adeg honno, ac er bod llawer o fandiau'r cyfnod yma yn llawer ifancach na Wyn a finne, dwi'n falch i ddweud bod y cyfeillgarwch dal yn gryf.

Ym 1981 ffurfiwyd label ein hunain – Fflach – ar gyfer rhyddhau'r caneuon nesaf. Ac yn eu plith roedd 'Modur Sanctaidd'. Y caneuon eraill oedd 'Twristiaid yn y Dre' a 'Hyfryd Bingo'. Penderfynwyd llogi Sain i recordio'r caneuon ac Eurof Williams yn cynhyrchu gyda Simon Tassano yn beiriannydd. Mae Simon, a oedd yn beiriannydd i'r Trwynau hefyd, yn byw yn Austin, Texas nawr gyda'i stiwdio ei hunan, Rumiville, ble mae wedi cael tipyn o enwogrwydd. Fe oedd y technegydd ar albwm Richard Thompson, *Dream Attic*, a chafodd ei enwebu am Grammy yn 2011. Roedd e'n beiriannydd sain ar daith Thompson yn America hefyd. Yn berson hoffus, roedd Eurof a fe yn dod ymlaen yn dda, a dwi'n dal i ddefnyddio un o'i ddywediadau ambell dro. Pan fyddai'r band yn gyrru o'r stiwdio i Gaernarfon am bryd o fwyd, a dim traffig yn dod o'r chwith, bydde fe'n dweud, 'Cool on the left.' Mae e ymhell o ochre Caernarfon nawr, ond sgwn i a fydde fe'n cofio Ail Symudiad a'r 'Modur Sanctaidd'?

Roeddwn i wedi sylwi ar obsesiwn rhyfedd rhai pobl am eu ceir. Roedd fy nhad yn hoff o'i gar, Ford Escort tua deuddeg mlwydd oed, ond ddim yn ei addoli. Ond i'r rhai sydd yn ddwl am eu ceir dyna ble mae y 'Sanctaidd' yn dod mewn. Mae'r gân yn sôn am rywun yn cael benthyg modur ei dad ryw nosweth a gyrru mewn i'r clawdd. Doedd ceir ddim o ddiddordeb i fi pan oeddwn i'n ifanc ond fe ges i wersi gyrru pan oe'n i'n 17 oed. Cyngor caredig yr hyfforddwr amyneddgar oedd, 'Dewch nôl mewn deg mlynedd pan fyddwch chi'n canolbwyntio mwy'. A dyna'n union beth wnes i. A hynny ddim ond ar ôl cwrdd ag Ann, fy narpar wraig, a meddwl na fyddai'n deg iddi orfod gyrru â fi i wahanol lefydd. Ac rwy'n cofio'r sioc gafodd hi pan wnes i droi i fyny tu allan i'w thŷ gan yrru wrth fy hunan.

Sain oedd yn gwasgu ein sengl/EP annibynnol gyntaf, ond ni o fewn y band wnaeth ddylunio'r clawr a'i argraffu yn Aberteifi, gyda chant o gopïau mewn *dayglo* melyn. Dim ond un copi o'r sengl sydd gen i ar ôl. Y dyddiau hynny byddai'n anodd iawn cyflenwi siopau yn iawn achos roedd swyddi gyda ni i gyd. Ond roedd llawer yn gwerthu mewn gigs.

Ym 1981 dyma ni'n ymdeithio i'r Eisteddfod Genedlaethol ym Machynlleth ac fe wnes i fwynhau hon yn fawr, fel dwi'n mwynhau pob Eisteddfod dwi'n medru mynd iddi. Ond un o'n problemau ni i gyd oedd cael amser i ffwrdd o'r gwaith. Daeth EP arall mas cyn Machynlleth, sef 'Geiriau'. A dyma drobwynt yn ein gyrfa. Gadawodd Gareth y grŵp ynghyd â'r ail ddrymiwr Kevin Bearne, ond wedyn ymunodd Robert Newbold â ni ar y drymiau. Hon oedd ein cân araf gyntaf ac Eurof Williams oedd yn cynhyrchu eto yn Stiwdio'r Bwthyn, Ystradgynlais. Y tro yma roedd e gyda Richard Morris, cynhyrchydd sengl gyntaf Crys, a aeth ymlaen i gynhyrchu i'r Ficar a Maffia Mr Huws i enwi ond dau. Roedd recordio'r gân hon yn gryn gambl ond profodd yn llwyddiannus gyda 'Geiriau' yn sengl y flwyddyn ar raglen *Sêr* ar HTV. Chwaraewyd yn y Twrw Tanllyd ym Machynlleth ac roedd Sesiynau Sgrech ym mar cefn yr Angel yn Aberystwyth gyda Rhys Powys o Chwarter i Un (a Catsgam nawr) ar y drymiau (gan fod Robert yn gweithio). A dyna brynhawn gwyllt, gyda phawb yn cyd-ganu geiriau'r gân gan eu bod ar y clawr. Ein ffrind, yr artist Malcolm Gwyon, oedd wedi gwneud y gwaith celf. Yn nes ymlaen yn Awst roedd wythnos o daith o'n blaen gyda Chwarter i Un, taith a drefnwyd gan Eryl Fychan.

Profiad od oedd cerdded mewn i'r Milk Bar ym Mhorthmadog (yn anffodus ma'r hen Milk Bars wedi diflannu) a gweld pobl yn ein hadnabod. Wedi'r cyfan, doedden ni ddim yn meddwl ein bod ni'n sbeshal – dim ond canu mewn band oedden ni. Ond roedd pobl ifanc yn gofyn am ein llofnod am 11.00 y bore! Roedden nhw'n ein galw ni'n *mods*, ac yn sicr roedd dylanwad *mod* ar ein gwisg – a chwarae teg, fe ddywedodd Rhys Mwyn mai Ail

Symudiad oedd y band Cymraeg cyntaf i *beidio* gwisgo denim. Y dyddiau hyn dwi'n gwisgo jîns ond rwy'n dal yn ffyddlon i Ben Sherman, Doc Marten a'r *loafers*!

Roedd Chwarter i Un yn gwmni da ar y daith. Yr aelodau oedd Tim, Gwyn, Gronw, Dominic a Dafydd, brawd Gruff Rhys. Dwi'n gweld Tim Hartley a Gronw yn gemau pêl-droed Cymru. Ma Tim wedi gwneud lot o waith elusennol godidog gyda thîm cefnogwyr Cymru ac mae'n codi arian i bobl llai ffodus yn y gwledydd niferus mae Cymru wedi cystadlu yn eu herbyn gyda'r fenter Gôl. Mae e'n dal i chwarae i'r tîm ei hun, ynghyd â'i fab Rhys. Fues i mor ffodus â'u gweld nhw'n chwarae yn Belgrâd yn erbyn tîm cefnogwyr Serbia, gan ennill 4-3, os dwi'n cofio'n iawn.

Un o'm hoff fandiau yw'r Undertones o Ogledd Iwerddon, ac ar ddechre'r wythdegau es i Wyn a Robert i'w gweld yn y Top Rank yn Abertawe. Roedd hi'n noson boeth iawn, felly dyma fynd nôl â'n siacedi i'r maes parcio. Ond doedd y modur ddim yno! Roedd rhywun wedi'i ddwyn, ac felly rhaid fu gofyn i'r Top Rank ffonio'r heddlu, a chyn pen dim, dyma nhw'n cyrraedd. Wrth i ni ddechrau esbonio dywedodd un o'r heddweision, 'What? You left your car in *that* car park!' Mae'n debyg bod y maes parcio hwn yn enwog am ladrata. A dyma fe'n mynd ymlaen, 'You left it with no other car there but yours?!'

'That's correct, officer,' medde fi.

'And you say it's a 12-year-old Ford Escort?' gofynnodd eto. Yn ôl yr heddwas, hwn oedd y model hawsa i'w ddwyn.

Dyma orfod galw Dad wedyn. Ond doedd ddim ffws, a dywedodd y gwnâi ofyn i ffrind roi benthyg ei gar a dod lan i Abertawe i ddod adre â ni. O'r diwedd aeth y tri ohonom mewn i weld y band a chlywed dim ond y ddwy gân olaf. Dyna siom. Ond gan fod Robin o'r band yn y brifysgol yn Abertawe roedd e'n nabod un o'r bownsyrs, ac fe gwrddon ni â'r Undertones yng nghefn llwyfan a chael sgwrs hir gyda nhw. Fe wnaethon nhw chwerthin dipyn ar ôl clywed am y car.

Esboniwyd wrthyn nhw ein bod ni'n canu yn Gymraeg yn unig. Roedd Feargal Sharkey yn hoffi hyn a dywedodd wrtha'i, 'Don't bother to ever sing in English. It's a rat race out there.' Diddorol, meddyliais wedyn, a daeth geiriau cân y Trwynau nôl i fi, 'Dwi ddim ishe bod yn enwog, dwi ddim ishe car mawr drud ...'

Mae lein yng nghytgan 'Modur Sanctaidd' yn dweud 'Ac mae'r modur sanctaidd wedi marw'. Ond wythnos ar ôl hyn ffoniwyd Goginan, ein cartref yn Tenby Road, gan heddlu ardal Cockett yn Abertawe i ddweud eu bod nhw wedi darganfod y Ffordyn ar ryw stad tai cyngor yno – heb y teiars. Ond daeth Wyndham Rees, Midway Motors, Crymych a Hubert Mathias, peiriannydd sain i achub y dydd. Ac i ffwrdd â ni i Cockett, a rhaid i fi gyfaddef i fi deimlo ychydig yn emosiynol wrth weld y car bach melyn yn mynd adre ar y draffordd i Aberteifi!

Edrych Trwy y Camerâu

Y gêm sy'n hollol bwysig, y gêm sydd yn rheoli
Y gêm sydd yn cadw cyfrinach neu ddau,
Peidiwch byth â poeni, peidiwch pryderu
Ma'r gêm yn mynd ymlaen a diddori rhai
Sy'n cadw llygad sy'n troi y dail
Sy'n edrych rownd o hyd o hyd, pob dydd, pob dydd ac:

Edrych trwy y camerâu
Mewn fflach ma'r darlun gyda ni.

Ma 'na ddigon o amrywiaeth i gadw ein diddordeb
Cael gafael yn y ffeithiau, mwynhau y ffair,
Peidiwch byth â poeni ...
Edrych trwy y camerâu ...

Ers i fi gael telesgop pan oe'n i yn fy arddegau dwi wedi bod â diddordeb yn y sêr a'r posibiliad o fywyd yn bodoli ar blanedau eraill. Ac efallai hefyd bod gwylio *Star Trek* yn esbonio pam sgrifennais i'r gân 'Annwyl Rhywun', a hynny trwy bersbectif yr *alien* oedd yn methu deall ffyrdd y byd hwn ac yn dweud mai pobl gyntefig ydyn ni sy'n creu arfau i ladd ein hunain. Ac i ryw raddau dwi wedi dilyn y thema hon mewn rhai caneuon eraill fel 'Ffarwel i'r Fyddin', 'Dyddiau Newydd' a 'Fflat 123'.

O sôn am *Star Trek* a ffuglen wyddonol, dwi hefyd yn ffan o *Planet of the Apes*. Ac mae'r ffilm gyntaf gyda Charlton Heston yn dweud y cyfan. Mae'r olygfa olaf yn dangos y *Statue of Liberty* wedi ei rannol guddio ar y traeth gyda Taylor (cymeriad Heston) yn cwympo i'r ddaear gan ddweud,

'You maniacs, you really did it, God damn you all to hell!'

Hynny yw, bod dyn wedi dinistrio'i fodolaeth ei hun ar y ddaear. Mae trioleg newydd y ffilm yma'n dangos mai dyn yw'r gormeswr, ddim yr epaod, a'r prif gymeriad Caesar yn symud teulu'r epaod i gyd i fan mwy diogel. Ond does dim heddwch oddi wrth ddyn, ac yn y diwedd mae 'na ryfel, sy'n adlewyrchu'r hyn sy'n digwydd yn y byd heddiw. Mae'n mynnu bod anifeiliaid yn aml yn trin ei gilydd yn well nag y mae dynolryw.

Mae anifeiliaid a byd natur yn bwysig iawn i fi, ac rwy'n hoffi gwylio adar. Mae gen i dair stesion bwydo yn yr ardd, a rhai blynyddoedd yn ôl ro'n i'n cadw bwjis mewn adardy. Mae'n dderyn o Awstralia yn wreiddiol, a'r gair Saesneg 'budgerigar' yn dod o'r gair Aborijinaidd am y deryn sef 'betcherrygah'. Un tro daeth fy ffrind a'r cerddor Derec Brown i aros ym Mlaenffos, ble dwi'n byw ers priodi. ('Beverley Hills y Preselau' fydda i'n galw'r lle.) Ac fe wnes i fynd ymlaen i siarad am y bwjis a sôn am y gwahanol liwiau sydd ar gael a sut i drin y cywion bach. Medde fe, wedi hen laru ar y malu awyr:

'Allwn ni siarad am gerddoriaeth am unwaith?!'

'Beth?' gofynnais.

'Paid siarad nonsens!'

Ond mae adar yn bwysig i fi. Gwnaeth un o'm ffrindiau, Len Reed o Aberteifi oedd hefyd yn cadw bwjis, adeiladu'r adardy, a phan oedd yno gofynnodd y cymydog drws nesa, Vincent Howell, beth oedd ar waith 'da fi? Dyw Len ddim yn siarad Cymraeg felly dyma fi'n ateb:

'Len's helping me build this aviary.'

A medde Len, 'Me helping you! I'm doing all the bloody work!'

Un tro roedd ffrind a chydweithiwr, Richard Davies, ishe caneri i dair modryb ddi-briod. Ro'n i'n nabod bachgen ar stad Ridgeway ger Tenby Road, ble ma' Cwmni Fflach, oedd yn cadw Red Factor, teip arbennig o ganeri. Prynwyd y deryn a chafodd ei enwi yn 'Chaucer' gan Richard, Ond roedd un o'r menywod yn methu ynganu 'Chaucer' a roedd hi'n ei alw fe'n 'Saucer'!

Ar ôl i fi adael E.L. Jones ro'n i allan o waith, ac yn ystod gwanwyn a haf 1982 roedd mwy o amser i ganolbwyntio ar y band. Roedd Ail Symudiad yn brysur iawn gyda'r gigs arferol gan ennill gwobr Prif Grŵp Roc *Sgrech* 1981, a pherfformio yng Nghorwen ar y noson wobrwyo. Hefyd roedden ni'n perfformio mewn dwy noson fawr yn Eisteddfod Abertawe, yn y Ganolfan Hamdden a'r Top Rank, dan ofal C.A.C. (Cymdeithas Adloniant Cymru). Hefyd yn ystod y flwyddyn fe wnaethon ni recordio'r senglau 'Lleisiau o'r Gorffennol' ac 'Edrych Trwy y Camerâu', gydag 'Emyn Roc a Rôl' gan Angylion Stanli ar un ochr. Hefyd fe ddechreuon ni recordio'r LP *Sefyll ar y Sgwâr* yn Stiwdio Sain. Felly roedd lot o waith ysgrifennu.

Dwi'n hoffi tynnu testunau o bob man – 'Twristiaid yn y Dre' am strydoedd Llundain; 'Garej Paradwys', y siop dillad pync yng Nghaerdydd a 'Beth yw Hyn?' am y frwydr gwrth-apartheid a Nelson Mandela. Ac mae byd y seléb yn un astrus i fi a'r ffaith bod y *paparazzi* yn eu herlid ar bob achlysur posib fel yn achos George Michael, ac yn gweld y cyfan yn gêm. Dyna beth sydd y tu ôl i 'Edrych Trwy y Camerâu'. Y mwya dwi'n clywed am fyd y seléb, y mwya balch ydw i mod i ddim yn un! Rwy'n ymfalchïo yn y ffaith fod bachgen lleol o Landoch (Llandudoch i chi sydd o'r tu fas i'r ardal) wedi dweud wrtha'i unwaith mewn tafarn yn y dre, ar ôl sawl peint,

'Gwranda 'ma, dwi'n lico "Trip i Llandoch" – gwd cân; ond am "Afon Mwldan", mae'n ff***n crap!'

Recordiwyd 'Edrych Trwy y Camerâu' ac 'Emyn Roc a Rôl' yn Stiwdio'r Bwthyn, Ystalyfera gyda Richard Morris (Mozz) yn cynhyrchu. Ef hefyd oedd gyda ni yn Sain yn recordio *Sefyll ar y Sgwâr* gydag Eryl, peiriannydd Sain. Roedd y recordio'n digwydd yn ystod y nos, a chysgu (a oedd bron yn amhosib) yn digwydd yn ystod y dydd. Felly roedd hi'n wythnos o waith caled, blinedig gan i ni hefyd chwarae yng Ngŵyl yr Eifl, Pen Llŷn. Roedd ambell doriad, ac roedd Robert y drymiwr yn hoffi gwneud cartwnau o fandiau eraill, hynny'n realistig a doniol iawn. Roedd Rob yn Brymi ac yn galw un aelod o fand Cymraeg (dwi ddim yn cofio pwy) yn 'cosmic mega-gnome'! Roedd Wyn â diddordeb mewn dysgu sut i beiriannu, a byddai'n gwylio Mozz yn cymysgu ac ychwanegu gitâr mewn ambell le ac yn gwrando ar bob nodyn. 'Cymry am Ddiwrnod' oedd y trac mwya cymhleth gyda'r *double-tracking*, sef fy llais i yn canu ar ben y llais gwreiddiol. Roedd Richard Morris yn gynhyrchydd a cherddor arbennig ond ddim yn dda gydag acenion. Ar y dechrau roedd e'n meddwl ein bod ni'n dod o'r gogledd a ddim o dde Ceredigion! Gan fy mod i allan o waith, ges i'r jobyn o aros ymlaen ar ambell benwythnos i weithio gyda Mozz er mwyn gorffen yr albym, a wnes i chwarae'r organ Hammond ar 'Cymry am Ddiwrnod' a'r piano ar 'Bwyta'n Broffesiynol'.

Ar ôl bod yn Sain, perfformiodd Ail Symudiad gyfres o gigs gan ddefnyddio teitl cân o'r albym 'Symud Trwy'r Haf' fel teitl i'r daith, a drefnwyd gan C.A.C. Chwaraewyd yn Neuadd Pontgarreg gyda'r Diawled; Rhydaman gydag Eryr Wen; Glan Llyn gyda'r Posteri; Blaendyffryn gyda Rocyn a Llannerchymedd gyda'r Ficar. Yn ystod yr haf dechreuodd Ann (Thomas) a minnau fynd allan gyda'n gilydd o ddifri ac fe fyddai hi'n dod i ambell gig hefyd. Maen nhw'n dweud '*opposites attract*', ac mae Ann yn hollol wahanol i fi, er nad ydw i mor hyderus ag y mae rhai'n meddwl fy mod i. Ond rhaid i fi gyfaddef bod fy nerfau llwyfan yn well nag oedden nhw yng nghyfnod cynnar y band, yr adeg honno pan nad o'n i wedi bod ar lwyfan o'r blaen. Fues i ddim mewn côr na drama gerdd ysgol, ond ffurfies i driawd pop i ganu un o ganeuon Little Richard yn Eisteddfod Ysgol Uwchradd Aberteifi a dod yn drydydd allan o dri, a fi'n cuddio tu ôl i'r piano ar lawr y neuadd ger y llwyfan yn chwarae'r dôn!

Yn yr hydref y flwyddyn honno fe ges i swydd newydd gyda'r papur lleol y *Tivy-Side Advertiser* neu'r *Teifi-Seid* i'r Cymry lleol, a hynny ar yr ochr argraffu fel gosodwr teip ar y peiriant Linotype. Ac yn wahanol i'm swydd flaenorol roedd pymtheg yn gweithio yno, gyda rhai yn argraffwyr a gosodwyr a phedwar ohonon ni'n teipio'r newyddion a'r hysbysebion. Ac ynghyd â'r newyddiadurwyr, y golygydd, a'r staff hysbysebu, y darllenwyr proflenni a'r gweithwyr rhan amser roedd dros 30 ohonon ni yno i gyd. Roedd tipyn o dynnu coes hefyd, a gyda'r holl gymeriadau lliwgar, dyma oedd prifysgol bywyd go iawn. Un o'n cydweithwyr oedd John Grey a oedd yn dod o'r Gorbals, ardal rwff yn Glasgow, yn wreiddiol ac wedi bod yn *First Mate* yn y Llynges Fasnachol. Felly roedd profiad ganddo fe o holl wledydd y byd, a finne'n gwrando'n astud ar ei hanesion. Roedd y rhan fwyaf o staff y papur o'r ardal ond roedd rhai o Loegr, yn cynnwys dau o'r *reps* hysbysebu a chwpwl o newyddiadurwyr. Ac roedd tipyn o fynd a dod yn yr adrannau yma. Ond ar yr ochr gosod ac argraffu roedd nifer wedi bod yno am flynyddoedd, ar wahân i'r bois oedd yn defnyddio'r Cosser Press. Roedd profiad mecanyddol yn ddigon da fan hynny. Roedd Mr Underwood, rheolwr cyffredinol y papur, yn ddyn hoffus a byth yn gas, ond ges i un neu ddwy bregeth ganddo fel:

'Are you running a business from here?'

Neu dro arall yn swyddfa'r rheolwr:

'Was it you who changed 'Rep Room' to 'Reptile Room' and ordered A4 paper mimicking David Douglas-Osborne, the Rep's voice?'

'Yes it was, Mr Underwood.'

'I don't mind a joke, just don't go too far.'

Yn anffodus fe gafodd y cwmni sustem *itemised billing* ar y ffôn, a finne wedi ffonio Llundain cwpwl o weithiau i weld beth oedd sefyllfa archebu casetiau i Fflach a gwneud rhai galwadau i wahanol gerddorion.

Un tro roeddwn i'n ateb galwad gan Hywel Gwynfryn, a hynny'n fyw ar y radio, i drafod symudiadau diweddaraf Ail Symudiad a Fflach. Fe benderfynais gymryd yr alwad yn stafell y reps gan nad oedden nhw yno ar ddydd Gwener. Ond wrth i Hywel ddechrau siarad dyma Elfair y foneddiges glanhau yn dod mewn:

'Siwt wyt ti heddi, Richard?'

'Ymm ... iawn diolch Elfair. Sori, dwi ar y ffôn gyda Hywel Gwynfryn. Chi ishe gair 'da fe?'

Jocan o'n i, ond fe gydiodd Elfair yn y ffôn a chael sgwrs fach gyda Hywel cyn i fi gario mlaen â'r cyfweliad.

Yn ystod y flwyddyn cwrddais â rhieni Ann, sef Willie

a Mary Thomas. Roedd Willie o Gilgerran a Mary o Flaenffos, er yn anffodus ddim gyda ni bellach. Fues i'n ffodus iawn o'n mam- a thad-yng-nghyfraith. Roedd Mary yn gogydd penigamp, a chan bod Willie yn fecanic roedd e'n gallu neud jobs ar fy Fiesta. Roedd tipyn o hiwmor ganddyn nhw hefyd ac roedd y ddau yn selog i'r capel a'r eglwys. A chan bod Willie o Gilgerran roedd e'n gyfarwydd â rhai o'r pentre oeddwn i yn eu nabod nôl yn fy arddegau fel Martin Lloyd, Les Glover, Max Owen, Charles a Lawrence Ray a Richard Mathias. Byddai gemau pêl-droed rhwng Aberteifi a Chilgerran hefyd.

Rwy'n cofio gwersylla gyda dau ffrind o'r dre dan Gastell Cilgerran. Y prif bwrpas oedd cael peint o dan oedran yn y Rampin neu'r Masons Arms, tafarn unigryw. Y *mine host* nawr yw Francine, ac mae'r lle'n dal yn boblogaidd. Y noson honno ar ôl bod am gwpwl o shandis penderfynais gerdded lawr at yr afon. Ond anghofiais fod y teid mewn! Sblash! Ro'n i fyny at fy nghanol yn nŵr y Teifi. Fe ddes i ben â sgramblo i fyny'r banc a nôl i'r babell yn wlyb stecs a dim dillad i newid. Bu yna gryn esbonio wrth fy rhieni ar ôl cyrraedd adre ar y bws fore trannoeth.

Roedd Willie hefyd yn cael ambell *flutter* ar y ceffylau a chael tipyn o lwc ambell waith. Fe fyddwn i ac e yn astudio'r *form* bob bore dydd Sadwrn cyn ffonio'r bwci. Roedd gyrfaoedd whist yn bethe mawr i Mary, a Willie hefyd. Byddai Mary, ble bynnag y byddai'n mynd, yn brydlon bob amser. Roedd hyn yn groes i'r graen i fi, a fyddai'n aml yn hwyr hyd yn oed i oedfaon y capel. Un tro cerddais i mewn ar ôl yr emyn cyntaf a'r weddi a chael edrychiad llym gan Mary!

Byddai'r gwaith yn dechrau am wyth y bore; cynnar

iawn i fi. Ac roedd cardiau clocio mewn gan y cwmni. Y tric os yn hwyr fyddai rhoi smydj bach o inc dros yr amser cywir i guddio'r amser hwyr – mistêc! O fewn mis roedd yr adran gyfrifon wedi sylweddoli beth oedd yn mynd ymlaen, a thynnwyd y munudau coll allan o'n cyflogau. Er enghraifft, os oedd yr amser a gollwyd erbyn diwedd yr wythnos yn dod i hanner awr, byddai hanner awr yn cael ei dynnu i ffwrdd o'n pecynnau arian. Yr annhegwch am hyn oedd y byddwn i ac eraill yn gweithio ymlaen yn achlysurol i orffen rhywbeth, ond ddim yn cael ein cydnabod am hynny. Roedden ni'n ffodus beth bynnag i gael undeb cryf tu cefn, y pwerus National Graphical Association – yr N.G.A. – ac roedden nhw'n gyfrifol am fargeinio gwell cyflog i ni.

Nos Fercher fyddai'r noson hwyr ar gyfer gorffen y papur, ac ambell waith fydden ni ddim yn gorffen tan hanner nos, gyda storïau munud olaf yn dod mewn. A chan fod y Linotypes a'r Intertypes yn gorfod gweithio'n galetach, bydde pethe yn llythrennol yn poethi, a'r plwm berwedig yn gallu tasgu allan o'r peiriant, a ninnau'n gorfod neidio o'r ffordd. Gyda rheolau iechyd a diogelwch heddiw, fydde'r peiriannau hyn ddim yn bodoli, sai'n credu. Ond roedden nhw'n beiriannau rhyfeddol a chlyfar iawn yn eu dydd.

Diolch i godiad cyflog, fe wnes i lwyddo i brynu fy ail gitâr safonol, sef y Yamaha SG 2000 yn dilyn yr Yamaha Super Flighter, a dwi'n dal i chwarae'r SG heddiw. Y rheswm am y dewis hwn oedd bod lot o fandiau pync a'r don newydd yn ei defnyddio, fel y Skids, Stiff Little Fingers a'r Vapours. Roedd y bandiau hyn wedi dylanwadu'n gerddorol arna'i hefyd. Roedd gan y Skids o'r

Alban ganeuon gafaelgar a geiriau diddorol, a Stuart Adamson y gitarydd yn cael ei offeryn i swnio bron fel y *bagpipes* ar adegau. A Stiff Little Fingers o Ogledd Iwerddon yn ymosodol boliticaidd. Ro'n i'n hoffi hynny. Beth sy'n ticlo fi'n aml yw'r rhai sy'n meddwl fy mod i'n *guitar geek*. Ond rw'i ymhell o hynny. Dim ond un gitâr acwstig sydd gen i, ac yn ddiweddar fe wnes i ddewis tanc pysgod newydd yn lle gitâr acwstic ddrud!

Yn ystod gaeaf 1982 daeth eira mawr a dwi'n cofio teithio nôl o Gorwen a'r fan bron â ffaelu mynd i fyny rhiw serth ar y ffordd adre. Roedd y stafell ymarfer yn festri Tabernacl yn oer iawn. Roedd tafarn y Commercial gyferbyn, ac ar ôl ymarfer roedd yn braf cael cynhesu a chymdeithasu. Yn aml bydde aelodau bandiau eraill yr ardal yna hefyd fel bois Rocyn, gan gynnwys Hubert Mathias y dyn sain, aelodau o'r Diawled, a Tegid a Rhodri Dafis (trefnwyr). Ac wrth gwrs Malcolm Neon (Gwyon). Roedd yna fand lleol o'r enw Chalky White and the Sham Rastas, ac roedd y rhain yn gwmni da hefyd, a rhai ohonyn nhw wedi symud i ardal Aberteifi ar y don hipïaidd yn y 70au cynnar.

Gorffennodd y flwyddyn gyda gig ym Mlaendyffryn. Er gwaetha'r eira mawr ddaeth ym mis Rhagfyr, roedd tuag wyth gant yno'r noson honno. Rhaid sôn am Walis Wyn George, prif drefnydd Blaendyffryn i Gymdeithas yr Iaith – roedd hi bob amser yn bleser delio gydag e. Yn aml roedd Disgo Calimero yno, sef Andrew Pwmps, bachgen talentog aeth ymlaen i reoli criw ffilmio ond sydd bellach yn anffodus wedi'n gadael. Ffrind arall y'n ni wedi ei golli yw Rhodri Davies, brawd Robin oedd yn arfer bod yn y band. Roedd Rhod yn canu lleisiau cefndir ar 'Garej Paradwys' ac 'Edrych Trwy y Camerâu'. A chan ei fod wedi bod yn dechnegydd yn y llynges roedd e'n deall pethe trydanol hefyd. Wrth esbonio amp i fi unwaith wedes i:

'Rhod, you might as well be speaking French to me!'

Ambell waith bydde fe'n helpu yn ystod recordio yn Ystalyfera ac wrth ei fodd yn gwneud hynny. Roedd ei wreiddiau ar ochr ei dad ym Mronwydd, Caerfyrddin, nid nepell o ardal Andrew, a'i dad-cu wedi bod yn rheolwr y stesion trên yno.

Ers bron dechrau Ail Symudiad ry'n ni wedi bod yn ffodus o'n ffrindiau annwyl y *roadies* – Clive Pater, Mwp, ac yn fwy diweddar yn y cyfnod hwnnw, Clive Phillips, Arfon Griffiths a Graham Bowen. Heb help a chefnogaeth rhain bydde'r band yn llawer tlotach. A dwi wastod yn cofio dywediad Clive a oedd yn y coleg gydag Arfon yn Aber:

'Heady days, boys, heady days'.

Fe wnâi ddweud hynny wrth ddisgrifio'r bwrlwm oedd o gwmpas y band bryd hynny. Ti wedodd hi, Clive, ei gweud hi fel yr oedd hi. Diolch o waelod calon i chi i gyd.

Arwyr Addfwyn

Môr yw môr ond does dim heddwch
Pryd o pryd gawn nhw'r tegwch
Nhw oedd yma gyda'r cyntaf
Peidiwch rhoi nhw yn olaf

Cytgan:

Anghofio yr arwyr addfwyn
Dinistrio'u byd a'u ffordd o fyw
Anghofio yr arwyr addfwyn
Llonydd ma nhw'n gofyn dyna gyd
Llonydd ma nhw'n gofyn dyna gyd
Llonydd ma nhw'n gofyn dyna gyd

Tymhorau yn newid ond ddim yr olygfa
Olwyn eu rhyddid yn symud yn araf
Bonheddwyr y gwyrdd sydd yn galw
Gobeithio y ddown trwy'r tywydd garw

Cytgan:

Anghofio yr arwyr addfwyn...

Oes morfilod allan ym Mae Ceredigion?

Ar ôl chwe blynedd o fodolaeth penderfynwyd chwalu adeg Nadolig 1983, a hynny mewn gig mawr ym Mlaendyffryn, Llandysul gyda rhai bandiau eraill gan gynnwys y dalent newydd cyffrous o Aberteifi, Datblygu. Noson emosiynol oedd hon, gyda bron fil o fobl yno gan gynnwys Mam a Dad, sef Betty a Moelwyn. Ac yn steil arferol mam, ar ddiwedd y nos a'r lle wedi gwacáu, medde hi, 'Chi lawer rhy uchel!'

'O wel, bydd ddim rhaid i ti'n clywed ni eto,' wedes i, ond dyna ble ro'n i'n anghywir.

Yn ystod y flwyddyn ganlynol bu'n rhaid i Wyn, fi a Rob benderfynu beth oedd yn mynd i ddigwydd i Fflach. Ac ar ôl trafodaethau hir, y canlyniad oedd parhau â'r label.

Ym mis Gorffennaf, priodwyd Ann a fi yng Nghapel Blaenffos, diwrnod hapus iawn gyda gwesteion ar fy ochr i o Rydychen, ble roedd rhai o frodyr a chwiorydd fy nhad yn byw. Ac wrth gwrs, Pontycymer ger Pen-y-bont ar Ogwr. O Sir Benfro oedd y rhan fwyaf o deulu Ann, ond roedd perthnasau gyda fi hefyd ar ochr Mam o'r sir ac yn y briodas. Stan Williams, Rhydlewis oedd y ffotograffydd. Fe oedd yn tynnu lluniau Ail Symudiad, ac roedd yn ffrind da ac amyneddgar. Ar ôl tynnu lluniau tu fas i'r capel, roedd y brecwast priodas ym Maenor Llwyngwair ger Trefdraeth, un o'm hoff lefydd i ers mynd i ddisgos yno yn y 70au. Roedd yno groeso mawr bob amser gan Roger a Marilyn Ennis, ac maen nhw yno o hyd. Ond un o'r merched, sef Meleri, sy'n dal yr awenau nawr.

Roedd yn haf poeth, felly'n ddelfrydol ar gyfer tynnu lluniau yn y gerddi godidog. Ond hedfanodd het Betty fyny i frigau coeden. 'C'mon nawr Mrs Jones,' medde Stan gan wenu.

'I'm not rushing for anybody!' wedodd Mam nôl.

Roedd rhai o griw Rhydychen yn hoffi tipyn o hwyl ac wedi lletya yno'r noson cynt a chael bar hwyr. 'Ma nhw'n yfed gormod wrth fy modd i,' fydde Mam yn dweud amdanyn nhw. Roedden nhw'n gweithio'n galed yn eu swyddi yn y ffatrïoedd ceir yn Cowley, Rhydychen, ac roedd y briodas yn esgus da i ddod at ei gilydd a mwynhau eu hunain, a hynny mewn lle cartrefol a hyfryd fel Llwyngwair.

Yn y gogledd oedd y mis mêl, gan aros y noson gyntaf

yn Nhal-y-llyn, ac wedyn yn y Goat yn y Bala a gyda'n ffrindiau Arfon a Beryl Griffiths yng Nghynllwyd, Llanuwchllyn. Dim traethau aur y cyfandir i ni!

Daeth gwahoddiad gan Eisteddfod Genedlaethol Llanbedr Pont Steffan i gyfansoddi cân i'r ieuenctid. Oeddwn, ro'n i'n dal yn ifanc bryd hynny, a dyma recordio dan enw Ail Symudiad er ein bod ni wedi chwalu'r Nadolig cynt. 'Bedlam' oedd enw'r gân – y geiriau gan Iona James, a fi wnaeth gyfansoddi'r dôn. Y cam nesaf oedd mynd i Landwrog i'w recordio gan mai ar label Sain oedd y sengl. Roedden ni wrth ein bodd yn cael mynd i'r stiwdio foethus unwaith eto, ac roedd ymweliad ag ardal Caernarfon o hyd yn bleserus. Er mai triawd oedden ni bryd hynny, gofynnwyd i'r gitarydd talentog o Abertawe, Brian Breeze, ychwanegu at sŵn y record.

Arhoswyd yn lleol ac ar ôl gorffen recordio ar y diwrnod cyntaf, penderfynwyd mynd i Gaernarfon am gyri. Pan ddaeth y prydau allan doedd Brian ddim yn hapus â maint y pryd oedd ar y plât. 'Oh my God, this wouldn't feed a sparrow!' medde fe wrth y gweinydd, er embaras mawr i ni. Daeth platiau newydd allan a mwy o fwyd arnynt, ond gyda neb arall yn y bwyty, tawelwch a fu, heb y sgwrsio cyfeillgar sy'n nodweddiadol o weinyddwyr Indiaidd arferol. Sgwn i pam?!

Dro arall cwynodd Brian mewn tafarn yn Aberteifi bod dim digon o ham yn ei rôl. Ond roedd Brian yn ddyn cyfeillgar ac yn meddu ar hiwmor sych. Twyllodd ni gyda'r stori ganlynol, stori dda os digwydd bod yn siarad am greadur.

'Roedd cyfaill i fi'n gweithio ar injan ei gar yn y garej ag roedd ganddo fe gath fydde'n ei ddilyn i bobman. Ar y llawr roedd llond soser o betrol, ac yn sydyn fe sylwodd fod y gath yn yfed y petrol. Yn sydyn dyma'r gath yn neidio fyny ac yn rhedeg rownd a rownd y garej fel rhywbeth gwyllt. Fe ddringodd y welydd, neidio ar do'r car cyn disgyn yn llonydd i'r llawr.' A dyma ni'n gofyn, 'Oedd hi wedi marw?' 'Na,' medde fe, 'roedd hi wedi rheg mas o betrol!' A dyma ni i gyd yn chwerthin.

Y gân arall ar y record oedd 'Arwyr Addfwyn', cân am sefyllfa druenus morfilod a'r ffordd maen nhw'n cael eu lladd yn gwbwl ddiangen. Mae'n un peth i lwythau'r Esgimo ladd ambell un am fwyd, sy'n para am flwyddyn. Ond peth arall yw'r cychod arswydus sy'n eu lladd ar raddfa ddiwydiannol, yn y dulliau mwya creulon. Sdim rhyfedd bod llongau Greenpeace yn brysur.

Cafodd hon ei recordio yn stiwdio newydd Richard Morris yng Nghwm Tawe, y tro cyntaf i ni recordio yno. Roedd yn wahanol i repertoire arferol y band, a hefyd ddim yn gân roeddwn i'n rhy hyderus yn ei chylch. Ond fe wnes i glywed yn nes ymlaen mai hon ar y pryd oedd hoff gân Steve Eaves gan Ail Symudiad. Roedd hyn yn golygu llawer i fi; derbyn cymeradwyaeth rhywun dwi'n ei edmygu'n fawr.

Pan ddaeth diwedd y flwyddyn roedd y tri ohonon ni'n sylweddoli ein bod ni'n gweld ishe'r chwarae a'r *craic* o fod mewn band. Cymerwyd y penderfyniad i ailffurfio, ac ar ben hynny sefydlu stiwdio recordio yn ein lle ymarfer sef Festri Tabernacl. Roedd yna wagle sylweddol a dwy stafell fach ar y ffordd mewn, un ar gyfer yr offer a'r llall yn gegin. Prynwyd peiriant 8-trac gan Dafydd Pierce yng Nghaerdydd, a dyna sefydlu y Stiwdio Fflach cyntaf.

Ar ôl ailffurfio cafwyd cwpwl o flynyddoedd tawel.

Gadawodd Robert Newbold y band a daeth Paul Phillips neu 'Sticks' o'r Diawled mewn ar y drymiau a Sarah Jane Rees ar yr allweddellau, y tro cyntaf i ni gael *keys* yn y band. Rhyddhawyd sengl o'r enw 'Croeso i Gymru' gyda Meic Stevens ar un ochr yn canu 'Bwgan ar y Bryn'. Roedd e'n anrhydedd cael rhannu sengl gydag e, fel yr oedd gydag aelodau Hergest sef Geraint, Delwyn a Derec i ganu lleisiau cefndir ar 'Croeso i Gymru'. Record hir Ffenestri, ynghyd ag Aelwyd Crymych, oedd y recordiau cyntaf, heblaw am Ail Symudiad, i ddod allan o Stiwdio Fflach. Ein hoffrwm nesa ni oedd y sengl 'O Bell ac Agos' a 'Heno Mewn Breuddwyd'.

Roeddwn i'n treio helpu Wyn. Ond roedd hi bron yn amhosib gwneud llawer gan fy mod i'n dal i weithio'n llawn amser gyda'r *Teifi-Seid*. Ac fe gafwyd digwyddiad pwysig y flwyddyn honno sef genedigaeth ein mab hynaf, Dafydd, yn Ysbyty Llwynhelyg, Hwlffordd. Yno fe geryddodd un nyrs fi. 'You ask too many questions!' medde hi.

Roedd hwn yn amser cynhyrfus. Cafodd Dafydd ei enwi ar ôl fy hoff wncwl, sef David, a'r enw canol Tomos ar ôl cyfenw Ann. Roedd fy nhad ac Wncwl Dave yn sosialwyr, a dwi'n cofio Dave yn gweld poster Che Guevara ar wal fy stafell wely. Wrth droi i fynd lawr y grisiau gofynnodd, 'You know who the first communist was, don't you?'

'No', wedes i.

'Jesus Christ,' medde fe. Roedd Dave yn bregethwr lleyg ac yn arwain Côr Meibion Glyn Ebwy ac fe ysgrifennais gân o'r enw 'Y Brenin Coch' flynyddoedd yn ddiweddarach wedi ei hysbrydoli ganddo fe. Dwi'n dal i weld ishe hiwmor a chwmnïaeth Wncwl Dave.

Roedd Wyn a fi wedi dechrau cyfeilio i Aelwyd Crymych ar gyfer cystadleuaeth yn Eisteddfod yr Urdd ar y nos Sadwrn. Roedd yna ymarfer bob nos Iau am wythnosau cyn hynny. O dan arweinyddiaeth weithgar Des a Helen Davies a'u criw o gynorthwywyr diwyd, roedd yn bleser chwarae'n rhan gyda'r Aelwyd. Roedd ein cyfnither Meleri ar yr allweddellau, a'r un band fydde'n cyfeilio i berfformiadau dramâu cerdd yn Theatr y Gromlech. Roeddwn hefyd yn ysgrifennu caneuon i'r Aelwyd yn aml i eiriau meddylgar Morys Rhys, Eifion Daniels a Gareth Ioan.

Daeth yr Eisteddfod Genedlaethol i Abergwaun ym 1986, ac ro'n i'n rhan o'r Pwyllgor Adloniant, a alwyd yn Parti Barti ar ôl y môr-leidr enwog. Fe fydden ni'n cwrdd ym Mhentre Ifan, Nanhyfer, ble roedd Gareth Ioan yn byw fel Trefnydd yr Urdd Sir Benfro. Mae gan Eifion a Gareth ddawn sgriptio, ac roedden nhw wedi ysgrifennu i Gwmni Theatr Bro Preseli. Un noson roedd y pwyllgor yn trafod syniadau ar gyfer testun i ddrama gerdd yr ŵyl. Awgrymodd rhywun, beth os bydde arf gan Gymru fel bom atomig neu rywbeth tebyg ynghyd â'n byddin ein hunain. A wedes i o dop fy mhen, 'Ma arf gyda ni sy'n creu ofn ar bobol – cerdd dant!' Ac o'r sylw joclyd yna y seiliwyd y ddrama gerdd gyda'r cerdd-dantwyr fel gormeswyr wedi eu gwisgo fel yr Orsedd, a'r rebels oedd yn eu gwrthwynebu oedd y criw ifanc. Roedd y perfformiadau yn neuadd Ysgol y Preseli.

Pan oeddwn yn ysgrifennu caneuon ar gyfer y dramâu cerdd byddwn yn eu haddasu nhw i siwtio'r band, caneuon fel 'Gwena dy Wên'. Roedd hon ar gasét a ryddhawyd gan

Ail Symudiad o'r enw *Dawnsio Hyd yr Oriau Mân*. Wnes i byth hoffi teitl y casét yna!

Cerddor gyda'r band enwog Hawkwind oedd Nik Turner: roedd yn byw yn ardal y Preselau ac fe chwaraeodd y sacsoffon ar y recordiad. Cafwyd drymiwr newydd arall, Owen Thomas a aeth ymlaen i chwarae gyda Jess. Ond roedd y grŵp ychydig yn yr anialwch ac yn ddigyfeiriad yr adeg hon, a grwpiau newydd yn codi yn y byd roc gan ein gadael ni ar ôl.

Daeth fy mrawd-yng-nghyfraith Kevin yn gyfarwyddwr ar Fflach, ac yn wahanol i Wyn a fi roedd e'n deall busnes, a rhoddodd drefn ar ein system dosbarthu a'n cyfrifon.

Erbyn hyn roeddwn i yn fy mhumed flwyddyn da'r *Teifi-Seid* ac yn mwynhau. Roedd rhai yn dod atom ar brofiad gwaith, fel Ceri Wyn Jones y darpar Brifardd, a dysgais gynghanedd iddo fe – dwi'n meddwl iddo fe ddeall yn y diwedd! Daeth un bachgen o Gwm Gwendraeth i ymarfer newyddiaduraeth, ac roedd ein tafodiaith ni yn ei ddifyrru gyda geiriau fel 'wes' (oes), 'dwe' (ddoe), 'wmed' (wyneb), 'mofiad' (nofio) a 'perci' (caeau). Roedd un newyddiadurwr â phrofiad mawr, sef Barry Walsh o'n chwaer bapur y *Western Telegraph*. Doedd e ddim yn siarad Cymraeg ond roedd yn ysgrifennwr deallus a chefais sgyrsiau hir gyda Barry. 'Fflach' oedd e'n fy ngalw fi.

Teipio'r copi Cymraeg oedd un o'n jobs i, ac yn aml bydde hwnnw'n dod mewn llawysgrifen, ac yn anodd ei ddeall ambell waith. Bydde adroddiadau chwaraeon ysgolion cynradd yn cyrraedd ar ddiwedd tymor yr haf, a dwi'n cofio gweld enw un enillydd – Rainbow Trout – a wnes i gwestiynu gyda'r golygydd a oedd yr enw yn un go iawn? Sgwn i beth yw hanes Mr Trout erbyn hyn?

Mae hanes y Preselau a Sir Benfro o ddiddordeb i fi, a phan oeddem yn blant bydde Wyn a fi yn mynd gyda'n rhieni i ymweld â fferm perthnasau yn ardal Crymych ble bydden ni'n dau yn helpu. Bydden ni'n rhoi bwyd i'r lloi bach, chwarae yn y sgubor wair a gyda'r cŵn, bwyta bara wedi'i bobi yn y gegin ac yfed llaeth yn syth o'r fuwch. A phan oeddwn yn fy arddegau cynnar byddwn yn mynd i aros gydag Anti Mair. Fe fydde hi yn helpu godro ar ambell fferm, ac fe gawn i'r job o lanhau'r beudy neu garthu mas.

Hermon oedd cartref Mam-gu ac fe fydda i'n dal i weld un perthynas sy'n wreiddiol o'r pentre, sef Maureen, gwraig y prifardd Eirwyn George.

Un o'r caneuon sgrifennais i'r casét *Dawnsio Hyd yr Oriau Mân* oedd 'Sbri ym Mynachlog-ddu', sy'n sôn am ddianc o dref brysur glan-môr a'i chaffis, byrgers a chŵn poeth a dianc i Fynachlog-ddu i gael tawelwch. Mae un o'm cefnderwyr, Elfed Lewis (nai Tad-cu) wedi olrhain hanes y teulu ac wedi darganfod mai un o'n hynafiaid ni oedd Niclas y Glais, sef T. E. Nicholas. Yn wir, Nicholas oedd cyfenw mam Tad-cu. Ac er fy mod i'n genedlaetholwr, mae gwerthoedd sosialaidd yn bwysig i fi, ac mae rhai caneuon asgell chwith gen i fel 'Beth yw Hyn?', 'Tori Mewn Trwbwl' a 'Fel China Bell'. Ond dwi'n hoffi ysgafnhau'r themâu hefyd fel yn 'Dilyn y Sebon', am gi defaid ein ffrind Graham Bowen oedd yn cyfarth bob tro roedd *Pobol y Cwm* ar y sgrin. Dyna 'Hyfryd Bingo' ac 'Ogof ger y Môr' wedyn sy'n sôn am y *World Series Baseball* a dim ond America yn cymryd rhan! Mae cyfarwyddwr Fflach a ffrind yn destun i 'Na Fiw Sy' gyda Granville', sef cân am yr olygfa o dŷ Granville a Sheila John ger Crymych a'r fferi i Iwerddon yn y pellter. Roedd rhai yn ein gigs yn gweiddi allan 'Na fiw sy' gyda Sheila' yn y gytgan.

Roeddwn hefyd yn ysgrifennu caneuon i bobl eraill fel Catrin Davies fy chwaer-yng-nghyfraith (roedd 'Trwy dy Lygaid Di' a 'Llun ar y Mur' ar ei chasét gyntaf) ac i'r tenor Andrew Rees (rhai caneuon gyda geiriau gan Morys Rhys). Ar y gitâr dwi'n ysgrifennu'r caneuon i gyd, er bod piano gyda ni gartre. Dwi'n falch nawr bod fy rhieni, yn enwedig Mam, wedi fy ngorfodi i gael gwersi piano a rhoi sylfaen gerddorol i fi, er fy mod i'n casáu'r gwersi hynny. Dim ond Gradd 1 wnes i basio, a fyddwn i byth yn ymarfer. Roedd fy athrawes olaf yn byw yn Tenby Road, dau ddrws lawr i Goginan, ein cartref ni. Os byddai gwers yn ystod gwyliau haf bydde bois y stryd yn chwarae pêl-droed yn y parc tu ôl y tai, a fi'n methu aros i'r wers ddod i ben.

I'r gwrthwyneb i fy nhalent brin i fel pianydd roedd Stephen Pilkington; y daeth Wyn a fi i'w adnabod pan symudodd i Sir Benfro o Swydd Derby. Roedd ganddo ddawn ryfeddol ar y piano ac yn ŵr diymhongar. Roedd sawl cerddor dawnus wedi symud i'r ardal ac ambell un yn chwarae i Ail Symudiad, cerddorion fel Will Cobbett ac Ollie Twist. Un arall oedd o gwmpas tua diwedd yr wythdegau oedd Glyn Hughes, un o Gymry Llundain ond â'i rieni'n dod o Lanbedr Pont Steffan. Fe chwaraeodd ar gwpwl o draciau Ail Symudiad gan helpu Wyn yn y stiwdio newydd. Mae e nawr yn cydweithio gyda Ricky Gervais, seren *The Office*. Roedd George Melly y canwr jazz yn arfer pysgota ar y Teifi ac yn yfed yn y Penybryn Arms ym Mhenybryn, pentref jyst tu allan i'r dre a chartref Tad-cu. Ac mae Aberteifi a'r ardal yn dal i ddenu pobl enwog, a hawdd deall pam.

Doedd y grŵp enwog o Ogledd Iwerddon, The

Undertones, un o'm hoff grwpiau i, ddim yn hoffi mynd ar daith, ddim hyd yn oed i fannau eraill o'r ynysoedd hyn. Roedd mynd i America yn hollol groes i'r graen, a hiraeth ofnadwy gyda nhw wrth fynd mor bell o adre. Ac er bod sawl band Cymraeg wedi teithio'r byd, dwi ddim yn eiddigeddus o gwbl. I'r gwrthwyneb. Dwi'n hoffi'r trips gyda chefnogwyr pêl-droed Cymru i wahanol wledydd Ewrop ac wedi hoffi'n fawr mynd i wahanol lefydd ym Mhrydain ac Iwerddon a Llydaw ar wyliau teuluol ac ar ran Fflach. Ond ymweliadau byr yw'r rheiny.

Y gwir yw, fedrwn i byth ddianc o Aberteifi a'r ardal, a dim damwain na hap yw'r ffaith fy mod i wedi aros yn fy nghynefin. Fel clasur Mei Mac a Geraint Løvgreen, 'Yma Wyf Finnau i Fod'.

Meddwl Mawr

Galw ar yr uchel Un
Ma'r crefydd cosmetig ar y sgrin
Ond llefain ma'r pregethwr hyn
A'i wallt perffaith yn troi yn wyn

Hey nawr! Meddwl mor fawr!

Mae e wedi bod yn grwtyn drwg
A gofyn am faddeuant mae e'n siwr
Ond mae arian yn ei boced ef
Twyllo'r bobl ar y ffordd i'r nef?

Hey nawr! Meddwl mor fawr!

Dechreuodd Ail Symudiad gael ychydig o adfywiad ym 1989 ar ôl cwpwl o flynyddoedd cymharol dawel ac ymunodd drymiwr newydd eto o'r enw Paul Pridmore o Hwlffordd – un o'r cerddorion mwya talentog dwi wedi gweld erioed. Roedd e'n un o'r bobl ifanc prin o dde Sir Benfro, yr adeg hynny beth bynnag, oedd wedi astudio Cymraeg ail iaith yn yr ysgol. Ond yn anffodus doedd e ddim yn ddigon hyderus i'w siarad, a Saesneg oedd yr iaith gartre. Yr oedd mor arbennig ar y drymiau gwnaeth athro cerdd yn Ysgol Syr Thomas Picton ffonio'i rieni a dweud nad oedd erioed wedi gweld unrhyw ddisgybl yn chwarae'r drymiau – nac unrhyw offeryn arall – heb hyfforddiant fel Paul. Ond roedd Paul mor ddiymhongar, ei fam wnaeth ddweud wrtha'i am hynny!

Un o'r pethau o'n i'n ei hoffi am Paul oedd ei hiwmor, ac roedd yn sôn am un o'i ffrindiau yn dweud yr hen ystrydeb, 'I don't need drugs man; rock and roll is my drug!' Cwrddais â'r bonheddwr hirwalltog hwnnw a'i sbecs John Lennon unwaith, a gofynnodd i fi – beth oeddwn i'n chwarae? Dyma ateb, 'Oh, you know, a bit of football, space invaders and three-card brag.' Edrychodd arna'i yn syn, cyn i fi ddweud, 'No, no, it's a Yamaha SG 2000.'

Roedden ni wedi ysgrifennu caneuon ar gyfer albym newydd Ail Symudiad, *Rhy Fyr i Fod yn Joci*, deg cân i gyd. Gofynnais i Paul ynglŷn â threfnu diwrnod i ymarfer y caneuon, gan fod recordio yn y stiwdio yn wahanol i wneud gigs. 'No, it'll be OK,' wedodd e. Felly daeth noson recordio'r traciau, ac fe ofynnodd am i fi redeg trwy'r gân gwpwl o weithiau. Er mawr syndod i Wyn, oedd ar y ddesg, recordiwyd pum cân ar y noson gyntaf, a'r gweddill y noson ganlynol.

Yn fy ngwaith gyda'r *Teifi-Seid* daeth y sôn ar droed am gyfrifiaduron yn disodli'r hen ffordd o argraffu a bod dyddiau'r Linotype a pheiriannau tebyg yn prinhau. Wedyn dyma anghydfod Wapping ym 1986, a miloedd o argraffwyr yn colli eu gwaith yn Fleet Street. Fe ymunodd tua 6,000 o weithwyr â'r streic yn erbyn trefniadau newydd Rupert Murdoch pan geisiwyd atal cyflenwadau o'r *Sunday Times*. Yn rhyfeddol gwnaeth fy ngwaith ar y 'Lino' barhau am tua thair blynedd ar ôl hyn. Ond wedyn daeth dydd y farn, a'r hen beiriant ffyddlon ro'n i wedi ei ddefnyddio am dros wyth mlynedd yn cael ei ddatgymalu a'i chwalu gan fois y metal sgrap o flaen fy llygaid. Daeth diwedd hefyd i ran y stafell osod. Cyfnod trist iawn, a chafwyd y cyfarfod olaf gyda'n cynrychiolydd undeb, John Slater o Borth Talbot, ychydig wedi hyn, a'r teimlad o ddiymadferthedd yn amlwg, a dim hyd yn oed streic yn mynd i'n helpu ni erbyn hynny. Ond fe aeth y Cosser, peiriant argraffu'r papur, ymlaen am tua blwyddyn. Wedyn gadawodd yr argraffwyr ond erbyn hynny roeddwn i a rhai cydweithwyr wedi troi at waith camera, cyfrifiadur a *paste up* yn lle creu tudalennau gyda theip metal. Roedd y newyddion a'r hysbysebion bellach ar ffurf papur, ond fu pethe byth yr un fath. Roedd y gwaith yn fwy clinigol a chefais i ac un gweithiwr arall ein hanfon am ran o'r wythnos i Hwlffordd i weithio ar ein chwaer bapur, y *Western Telegraph*. Yn wahanol i'r *Teifi-Seid*, roedd y staff yno wedi eu haddysgu a'u hyfforddi ers tro yn y ffordd newydd o osod, ac ar y pryd roedd gwaith argraffu'n parhau yno. Y derbyniad ges i gan un o'r gweithwyr yno oedd, 'You sound very Welshy'. Finne'n ateb, 'Maybe it's because I'm Welsh!'

Mae Saesneg de Sir Benfro a'i thafodiaith yn unigryw, a'r ardal yn cael ei galw yn 'Little England beyond Wales', ond y gwir yw bod llawer ohonyn nhw o dras Fflemaidd, a dy'n nhw ddim yn hoffi cael eu galw'n Saeson. 'We're South Pembrokeshire,' fydden nhw'n ddweud. Yn anffodus mae rhai geiriau de Penfro yn diflannu, ond mae rhai diddorol i'w clywed o hyd fel 'catchypawns' am benbyliaid, 'trippet' am gadair neu 'murfes' am frychau. Mae eu hacen yn debyg iawn i acen gorllewin Lloegr, Gwlad yr Haf yn enwedig. Byddai rhai o'n cydweithwyr yn dweud, 'Whey aye, boy' hefyd.

Dw'i wastad wedi ffeindio tafodieithoedd ac acenion yn ddiddorol yng Nghymru a thu hwnt. Mae un gân gen i o'r enw 'Twangyrs' sy'n sôn am y Cymry sy'n hoffi rhoi *lilt* posh wrth siarad Saesneg, rhywbeth dwi'n methu ei ddeall. 'Oh, I've been around,' medde nhw. Ond does dim esgus dros be' maen nhw'n ddweud. Mae Tom Jones wedi bod o gwmpas y byd gan wario lot o'i amser yn America, ond fe gadwodd ei acen Pontypridd.

Mae un o fy ffrindiau, Jackie Hayden o Ddulyn, sydd nawr yn byw ger Wexford, yn newyddiadurwr, ac fe wnaeth e gyfweliad â Tom i *Hot Press* (y cylchgrawn roedd e'n rhannol berchen) mewn gwesty yn Nulyn. Fe ddywedodd fod Tom yn wahanol i sêr pop eraill – roedd e'n prynu cwrw am yn ail gyda fe. Doedd neb arall yn neud hynny, medde Jackie, hynny'n dangos bod Tom â'i draed ar y ddaear.

Mae rhai actorion a gwleidyddion Cymraeg, sydd ambell waith yn byw tu allan i Gymru, yn siarad Saesneg fel bod ganddynt farblis yn eu cegau. Fe wnes i sbort am hyn yn y gân 'Geiriau' hefyd: 'Gwrando ar y geiriau o'r rhai sydd wedi anghofio ...'. Hynny yw, anghofio eu hacen. Dyw'r Albanwyr a'r Gwyddelod ddim yn neud hyn. Fe ddywedodd actor byd-enwog iawn o Glwyd ar ryw sioe siarad Saesneg, 'You see, when you move into Gwynedd and beyond you'd find it hard to understand the accent.' Idiot!! A dim Rhys Ifans oedd e chwaith! Gwaeth na hynny, dywedodd un arall ar raglen Parkinson flynyddoedd yn ôl ei bod hi wedi cael gwersi *elocution* i gael gwared â'i hacen Gymraeg!

Mae hyn yn fy arwain i at gân ysgrifennais a fydde'n ddisgrifiad o'r actorion neu'r gwleidyddion sy'n euog o hyn – 'Meddwl Mawr'. Ond mae'r gân mewn gwirionedd yn sôn am y pregethwyr *redneck* o America, yn enwedig yn y *Deep South*, sydd, i ddweud y gwir, yn wallgof ac yn aml yn twyllo pobl i gyfrannu miloedd os nad miliynau i goffrau eglwysi. Mae Louis Theroux o'r BBC wedi cyfweld â rhai ohonynt ar ei raglenni dogfen, ac maen nhw'n codi ofn a dychryn. Ar un rhaglen roedd yr eglwys gymharol fach yma yn Texas, ble dyle'r aelodau fod mewn ysbyty meddwl, yn protestio, a dau o'r placards yn dweud: 'Lady Diana was a Fag Lover' a 'Death to Fag Troops', a hynny yn angladd milwr. A oes rhyfedd bod yr UD yn enwog am ei *nutters*, ac mae 'Cristnogaeth' ar draed yna nawr gyda'r galw am wal i gadw pobl Mecsico allan. Mae'r rheolau cario gynnau yn galluogi pob math o wallgofrwydd – a nawr mae hyd yn oed athrawon yn cael eu hannog i gario gwn!

Er hyn i gyd mae pethau arbennig am y wlad, fel y gerddoriaeth, wrth gwrs. A heb bobl fel Fats Domino, Elvis Presley, Little Richard, Buddy Holly, Jerry Lee Lewis a Chuck Berry i enwi jyst rhai, bydde'r byd yn llawer tlotach ac Ail Symudiad ddim yn bod (wow!). A dwi hefyd yn dwli ar artistiaid *soul* fel Freda Payne, y Drifters, Gladys Knight, Stevie Wonder, Diana Ross a'r Supremes a'r Isley Brothers. Dyna fandiau'r 70au wedyn fel y Ramones, Talking Heads a Blondie – sy'n mynd o hyd – ac yn hoffi The Killers a Vampire Weekend a'r unigolion gwerin/baledi gwych mae'r wlad wedi eu cynhyrchu a rhai artistiaid rap. Dwi'n ffan hefyd o ffilmiau America fel *thrillers* a dramâu gwych a chomediwyr fel Will Ferrell a Ben Stiller. Ac mae prydferthwch mawr mewn llefydd fel Califfornia ble mae Parc Cenedlaethol Yosemite. Hei, dwi ishe mynd 'na nawr!!

Roedd fy nhad-cu ar ochr Mam yn ddyn crefyddol, yn flaenor ac yn adeiladwr a saer wrth ei alwedigaeth. Sgwn i beth bydde fe yn meddwl am y pregethwyr Americanaidd yma? Tyfodd ei fusnes o'r 30au i'r 40au ac erbyn y 50au cynnar roedd yn cyflogi dros hanner cant yn Aberteifi ac adeiladodd dros gant o dai yn y dre yn unig. Ei swyddfa, Llys-y-Coed, yw swyddfa Fflach heddiw, a Betty ei ferch, sef Mam, oedd ei glerc.

Bydd rhai'n dod fyny ata'i yn y dre nawr a gofyn, 'Ife ti yw ŵyr W. J. Lewis?' ac ysgwyd fy llaw. Mae hynny'n rhoi i fi falchder mawr. Roedd e'n enwog am ei onestrwydd ac wrth dyfu i fyny byddwn i'n mynd i 'weithio' gyda fe a bocs bach bwyd gyda fi. Fe gawn i eistedd yng nghefn y tryc ar y ffordd adre; sai'n credu bydde iechyd a diogelwch yn caniatáu hynny heddiw, gan ei fod yn dryc agored. Byddwn yn gwario llawer o amser yn Llys-y-Coed ac roedd Grace, Mam-gu, yn gwneud pice ar y maen ffein, a'i gwaedd ambell waith fyddai, 'Richard, wyt ti yn y pantri 'to!' Fe aeth hi ymlaen i fyw nes ei bod hi'n naw deg chwech, ond yn anffodus bu farw Tad-cu pan o'n i'n bymtheg.

Ym 1990 ganwyd Osian, ein hail fab, a chafodd yr enw canol Wyn ar ôl fy mrawd. Ac mae 'Wyn' yn y teulu, yn enw fy nhad Moelwyn ac un o'i frodyr Rhydwyn. Yn Ysbyty Llwynhelyg, Hwlffordd, y cafodd Osian ei eni, fel y mab cyntaf Dafydd, a daeth fy nhad a mam a Wyn lawr i'w weld ar ddiwrnod yr enedigaeth. Roedd Mam yn ddiffuant yn dweud nad oedd hi wedi clywed am yr enw Osian o'r blaen ac yn dweud, '*Atlantic Ocean* byddan nhw'n galw fe!' Roedd hi wrth gwrs o ddifri.

Mae Mam yn enwog am ddweud pethe fel y maen nhw. Does dim rhyfedd felly bod Wyn a fi wedi ei henwi hi'n joclyd yn 'Betty Blunt'. Unwaith pan oedd menyw o deulu adnabyddus yn y dre yn pasio heibio Goginan, ein cartref, dwedodd Mam, 'Ma' pen-ôl honna fel talcen eglwys' (dywediad lleol). 'Hisht Mam,' medde fi. A dyma Mam yn ateb, 'Sim hi'n deall Cymrâg eniwe ...'.

I ambell fenyw, ei sylw hi fydde, 'Chi wedi rhoi pwysau mowr mlân.' Ond un diwrnod fe ddwedodd fy nhad-yng-nghyfraith, Willie, wrthi, 'Wel Betty, chi ddim yn dene iawn y dyddie 'ma.' Hithau'n ateb yn swta, 'Dwi'n cadw'r un pwysau o hyd, diolch yn fawr i chi!' Doedd hi ddim yn ei hoffi e pan fydde'r esgid ar y droed arall.

Ar adegau fel hyn mae'r byd politicaidd yn mynd â'n sylw i. Ac rwy wedi cofnodi hynny mewn caneuon fel 'Tori mewn Trwbwl', 'Rheolau i Rai' ac 'Aros am Oes'. Sbardunwyd y gyntaf gan stori am Aelod Seneddol yn cael ei ddal yn gwisgo cit Chelsea mewn sefyllfa o embaras. Mae'r ail yn cyfeirio at y dynion hynny sy'n siglo llaw mewn ffordd fach gyfrinachol ac yn elwa trwy wneud hynny. Ac mae 'Aros am Oes' yn cyfeirio at yr aros hir am annibyniaeth i Gymru, a'r cwestiwn a ddaw hynny byth i fodolaeth pan mae miloedd ar filoedd o Saeson yn heidio i fyw yma. Fe fyddai'r rhan helaeth o'r rhain ishe aros yn y Deyrnas Unedig. Ar yr ochr bositif mae llawer ohonynt yn dysgu Cymraeg. Ac er bod yr Alban o bosib yn fwy cenedlaetholgar na Chymru ar y cyfan, mae ein hiaith gyda ni a'r holl ddiwylliant sy'n gysylltiedig â hynny. Mae Iwerddon wedi cael ei rhwygo wrth gwrs gyda'r gogledd yn dalaith wahanol – ac mae gogledd Lloegr yn wahanol wlad i'r de. Dw'i wedi cwrdd â Scousers a Geordies yn dweud mai dim Saeson ydyn nhw.

Er i fi fod yn Rhydychen lawer gwaith i weld perthnasau fy nhad, a thrips i Lundain, roeddwn i'n 37 oed cyn mynd 'dros y dŵr', a hynny i dde-ddwyrain Iwerddon. Cefais gynnig i fynd ar daith undydd gan grŵp o athrawon oeddwn i'n nabod i ymweld â ffatri Waterford Crystal. Wrth ymgynnull mewn tafarn yn Abergwaun, cyn bod y fferi hwyr yn gadael am dri o'r gloch y bore, wnes i sylweddoli mewn braw mai trip canu oedd e. Dw'i ddim yn rhy hoff o ganu emynau mewn tafarn. Sdim byd yn bod ar un neu ddau, ond roedd hyn fel cymanfa ganu, a hynny'n sioc i'r system. Fe wnaeth y dymuniad '*Beam me up Scotty*' groesi'n meddwl ond doedd y Starship Enterprise ddim o fewn cyrraedd. Dechreuodd y canu ar y bad, pan gafodd pamffledi emynau a chaneuon fel 'Moliannwn' eu gwthio i'n dwylo. Ac er fy mod i mewn criw da, fe wnes i ddianc am y siop *duty free*.

Wrth gyrraedd harbwr Rosslare, i mewn â ni i'r bws mini a mynd am New Ross, a galw ar y ffordd mewn tafarn i gael brecwast a pheint neu ddau o Guinness, sydd â blas gwahanol draw 'na. Ymlwybro wedyn tuag at Waterford ac i'r ffatri, a chael gweld sut oedd y grisial yn cael ei chwythu i wahanol siapau. Roedd hyn, a gweld wedyn y gwahanol batrymau oedd yn cael eu creu, yn ddiddorol iawn. Ar ôl dwy awr, mewn â ni i'r dre ac i dafarn arall i gael cân. Roedd y Gwyddelod yn y bar yn edrych yn syn ar griw o Gymry yn canu am dri o'r gloch ar brynhawn dydd Mercher. Sylwais fod siop bwci drws nesa, a'r 4.00 o Clonmel yn apelio. Ond erbyn i fi ddod nôl i'r dafarn ges i bregeth fach am beidio ymuno yn y canu – fues i bron â chael cosb o '100 lines' neu 'detention'! Beth bynnag, fe wnes i fwynhau'r diwrnod ar y cyfan ac fe adawodd Iwerddon ei marc arna'i.

Ar ôl hyn ro'n i'n teimlo fel *jet-setter* wrth fynd ar drip teuluol i Lydaw, ar y bad o Plymouth i Roscoff. Wrth fynd arni roedd dec y ceir yn llawn dop a'r to isel braidd yn glostroffobig. O'r diwedd dyma gael dringo fyny'r grisiau o grombil y llong a mynd i'r caffi ac yna crwydro o gwmpas – ac wrth gwrs, cadw llygad ar y plant. Roedd rhai ohonynt ishe mynd i stafell y peiriannau gemau i dreio'u lwc. Gydag Osian yn pallu gadael nes bod y darnau deg ceiniog yn syrthio allan, a fi bron â cholli amynedd, clywais lais annisgwyl yn fy nghyfarch. 'Shwt mae, te?' – Meic Stevens! Roedd e'n mynd ar fws gyda ffrindiau o Geredigion i Lydaw, ac esboniais ein bod ni'n mynd i Beg Meil. Dyma fe'n esbonio ei fod wedi byw am gyfnod yn Llydaw. Yn nes ymlaen mewn rhan dawel o'r bar dechreuodd ganu rhai o'i glasuron; dyna'r math o ganu mewn bar dwi'n ei hoffi!

Y mae yna rywbeth arbennig am Lydaw, y naws Celtaidd yn amlwg, ac roedd Beg Meil heb fod yn bell o ddinas Kemper, ble roedd siop Gweltaz yn gwerthu recordiau gwerin Cymraeg, a Llydaweg wrth gwrs. Dwi'n hoffi cerddoriaeth Llydaw gyda'r bandiau bagad a grwpiau fel Dremmwel. Fe wnaeth Fflach recordio'r gantores Annie Ebrel ar y CD *Datgan*. Roedd Beg Meil ger y môr, ac un diwrnod a'r traeth yn llawn penderfynais gerdded i'r pentre i gael peint o lagyr i dorri syched, a phan es i mewn i'r tafarn tynnais fy llyfr bach *Basic French* allan o 'mhoced. 'Bonjour madame, il fait chaud' (mae'n boeth) medde fi. Ond sai'n credu i'r ferch y tu ôl i'r bar ddeall. Reit, meddyliais, a dyma roi cynnig ar acen Ffrangeg go iawn. 'Lager s'il vous plait?' Hithau'n ateb, 'Non monsieur.' Felly dyma gynnig arall, y tro hwn gyda phwyslais. 'LAG-ER ...' A dyma sylwi ar yr enw 'Kronenbourg' ar y pwmp. Dyma fi'n pwyntio at yr enw, a hithau'n deall o'r diwedd. 'Ah! Bière!' Gyda llaw, fe wnes i ddarganfod bod 'lager' yn air o Bavaria am gwrw sy'n cael ei gadw mewn seler i oeri.

Ddiwrnodau'n ddiweddarach fe aethon ni i Douarnenez, ble gwnes i brynu pysgod ar gyfer swper. Ac wrth grwydro ei strydoedd, hawdd oedd deall pam yr ysgrifennodd y Swynwr o Solfa am y lle hudolus hwn a'i borthladd hyfryd. Gorffennwyd y dydd trwy yfed sawl potel fach o 'bière' y noson honno tu fas i'r babell gyda ffrindiau. Teimlwn erbyn hyn fel *internationalist* wrth ddymuno 'Gute nacht' wrth yr Almaenwyr cyfeillgar oedd yn aros mewn carafán anferth gyferbyn â ni gyda'u ci *German Shepherd* o'r enw Fritz a'u parot swnllyd.

Trip i Llandoch

Gadael nhw fel hyn gadael nhw am hanner nos
Pob man wedi cau a does dim pwrpas troi yn ôl
Ond yn sydyn mae yn olau dydd
Ac mae sŵn yn dod o siop y crydd nawr
A ma Llwybr Llygoden gerllaw

Beth am fynd am drip i Llandoch
I gael gweld yr afon, gweld y byd
Beth am fynd yn gloi i Llandoch
Cyn bod nosweth arall wedi mynd – wedi mynd

Ar y bont rwy'n gweld
Trysorau bywyd yn yr haul
Pethau syml iawn
Hamddenol yw yr oesoedd aur
Ac o Benrhiw olygfa heb ei ail
Mastiau hardd yn dawnsio rhwng y dail nawr
A ma'r Mwldan yn gwenu tu draw

Beth am fynd am drip i Llandoch...

Ond yn sydyn mae yn olau dydd
Ac mae sŵn yn dod o siop y crydd nawr
A mae Llwybr Llygoden gerllaw

Beth am fynd am drip i Llandoch...

Arwydd 'Llwybr Llygoden' yn Llandoch

Ar ôl blynyddoedd gyda phapur y *Teifi-Seid*, collais fy ngwaith yn 1995, ac fel rhywun heb lawer o gymwysterau – dim ond tair Lefel 'O' – doedd ddim llawer allen i neud. Yn sicr, ddim gweithio mewn banc, ble nes i dreial am swydd pan o'n i'n ddeunaw oed, a'r rheolwr yn gofyn, 'Pam y'ch chi'n meddwl allech chi weithio fan hyn gyda *unclassified CSE Maths*?' Ma'n rhaid i fi gyfaddef fy mod i wedi bod ychydig yn optimistaidd, a dweud y lleiaf. Ac wrth gwrs cyrhaeddodd llythyr ddiwrnodau wedyn yn dweud: 'Ddim yn llwyddiannus'.

Yr ateb felly oedd gweithio yn Fflach a mynd o gwmpas i werthu casetiau a CDs i'r siopau, a hynny ar y cyd gydag Arthur Davies ein cynrychiolydd. Fe fyddwn i hefyd yn gwneud ychydig o waith swyddfa i helpu Meinir, ysgrifenyddes Fflach ar y pryd. Mae Pam Davies yn dal i weithio yn yr adran gyfrifon, ac mae Pyst o Gaerdydd yn gwasanaethu yr ochr digidol. Er yn ddiolchgar am gael swydd o fewn y cwmni, roedd hi'n dal yn sioc i'r system ar ôl gweithio yn y byd newyddion a'r clecs lleol am bron i bymtheg mlynedd. A byddwn i'n gweld ishe Dave Hancock yn gweiddi 'Fire call Dai!' pan fyddai ei larwm tân yn canu a'i goffi'n hedfan i bob man. Neu Mr Underwood, rheolwr y papur, yn cwympo o ben ysgol ar fonet car – ond heb gael niwed, diolch i Dduw. Fe fu'r diwrnod ymadael yn un eitha emosiynol, a ges i garden anferth gyda sylwadau cawslyd rhai o'r staff fel 'Goodbye Richard, we'll miss your cheeky smile and jokes.' Neu 'Top of the Pops nesa Rich!'

O ran rhaglen waith Fflach, roedd Gwenda Owen yn paratoi ar gyfer recordio albym, ac ro'n i wedi ysgrifennu tôn i eiriau Arwel John o'r enw 'Cân i'r Ynys Werdd'. Penderfynwyd anfon hon i gystadleuaeth Cân i Gymru cyn bod y CD yn cael ei chyhoeddi. A braf fu clywed ei bod hi wedi mynd trwyddo i'r wyth olaf, a'r rownd derfynol i'w chynnal yn Neuadd Pontrhydfendigaid. Daeth y cwmni teledu lawr i Aberteifi i sgwrsio gydag Arwel a fi. Yr wythnos ganlynol aeth nifer o ffrindiau fyny i'r Bont i fod yn y gynulleidfa. Fy ngweddi i oedd, 'Plîs, peidiwch fy rhoi i eistedd yn y ffrynt!' Ond wrth gwrs, esboniodd y criw ffilmio y bydde'r cyfansoddwyr i gyd yn y rhes flaen. 'Wunderbar!' meddyliais. Er yn gallu canu o flaen lot o bobol dw'i ddim yn hoffi eistedd yn agos i'r blaen mewn unrhyw le. Dim dechreuad da i'r noson felly, ac angen *sniffter* bach i dawelu'r nerfau.

O'r diwedd dyma'r noson yn dechrau, a ro'n i'n meddwl nad oedd unrhyw obaith ennill, yn enwedig gydag enwau mawr fel Bryn Fôn yn perfformio ac Arwel Gruffudd yn canu 'Mordaith'. Yn ystod y toriad, gyda'r pleidleisiau'n dod mewn, fe ddywedes wrth Wyn y bydden ni'n lwcus i ddod yn drydydd neu'n bedwerydd. Ond roedd Gwenda wedi arllwys ei chalon mewn i'r gân, felly roedd siawns. Ac roedd sŵn y pibau, naill ai bibau Northumbria neu Iwerddon, sai'n cofio p'un, wedi ychwanegu llawer. Dyma ni'n dod wedyn i'r pleidleisio, a'r cynnwrf yn dechre. Roedd y bleidlais i Bryn yn uchel iawn, a dyma feddwl, dyna ni, ffinito! Roedd pleidlais Gwenda bron ar y diwedd, os nad y bleidlais olaf un, a sylweddolais yn sydyn ein bod ni'n mynd i ennill. Dyma Nia Roberts, oedd yn cyflwyno, yn ein galw ni ymlaen, ac Arwel yn carlamu i'r llwyfan fel enillydd y Derby, a fi dipyn ar ei ôl. Aeth y nerfau wedyn, ac roedd yn bleser sefyll ar ochr y llwyfan a chlywed y gân eto. Yn eisin ar y gacen, dyma Mal Pope, y cyfarwyddwr cerdd o Abertawe yn sibrwd wrtha'i, 'Great song!' Ar y ffordd adre galwyd mewn tafarn yn Llambed i barhau â'r dathliadau. Ac roedd bonws i ddod gyda thaith i Iwerddon i'r Ŵyl Ban Geltaidd yn Tralee ymhen tua chwe wythnos.

Yn y cyfamser rhaid oedd cael band at ei gilydd i chwarae yn y gystadleuaeth. Dewis Gwenda oedd Dave Preece, allweddellau; Hywel Maggs, gitâr; Henry Sears, ffidil; Wyn ar y bâs a chwaer Gwenda, sef Linda yn llais cefndir. Pan oedd Hywel yn gwneud sesiynau i Fflach bydde fe'n aros gyda ni adre yn Nolwen, Blaenffos. Fel fi, roedd e'n ffan o'r cylchgrawn *Viz* gyda'i gymeriadau lliwgar a bisâr fel C*****y W****r a S****t B*****d, a'r sylwadau doniol tu hwnt oedd yn ei golofnau. Mae testunau joclyd wedi apelio ata'i erioed wrth ysgrifennu caneuon fel 'Ci Tair Modfedd' o bennawd tudalen flaen y *Sunday Sport*, 'Three Inch Dog Ate My Missus';

'Anifeiliaid', am lygoden fawr yn Afon Mwldan, a 'Gnasher', ci arall sef Jac Rysel sy'n berchen i fy ffrindiau Owain a Jayne Young a'u plant Gwenllian a Caleb o'r Shwl-di-Mwl T-Shirt Emporium. Gnasher yw ci Dennis the Menace, wrth gwrs. Roedd Hywel a fi hefyd yn hoffi'r *Royle Family* ac Alan Partridge gyda'i glasur *Knowing Me, Knowing You* a'r bennod gyda 'Joe Beasley' a 'Cheeky Monkey' yn arbennig. Mae Hywel wedi chwarae, ymysg eraill, i'r enwog Rick Astley. Dyw'r cerddor dawnus hwn o Gasnewydd ddim yn hoffi yfed a brolio'i gysylltiadau â'r byd roc. Ond mae e'n dwli ar losin, fel wnes i ddarganfod.

Daeth noson y daith i'r ŵyl, ac am yr ail waith roeddwn i ar y ffordd i Iwerddon, ond y tro hwn am dridiau, gan hwylio ar y fferi gynnar o Abergwaun am 3.30 y bore. Yn wahanol i fy ymweliad cyntaf â Waterford roedd Tralee dipyn pellach, hynny'n rhoi cyfle i weld mwy o'r wlad a sylwi ar y tai eitha posh oedd yn mynd fyny. Wrth gwrs, yr adeg honno roedd Iwerddon yn ei chyfnod bŵm, adeg y 'Teigr Celtaidd'. Wrth stopio yn y garej gynta ar y ffordd dyma brynu brechdanau a diod, a Mr Maggs yn mynd yn syth at y stondin losin, a rhofio'r melysion mewn i fag – yn bananas candi, *sherbet snakes*, licrish a *chewies* oren a mefus. Ges i lond bag hefyd. Dyma beth oedd byw bywyd roc a rôl go iawn! Erbyn hyn roedd blinder yn dechre dweud arnon ni. Doedden ni ddim wedi cysgu ar y bad ac o gyrraedd Tralee dyma ni'n cael noson dawel ar ôl pryd o fwyd.

Ar y nos Iau oedd y gystadleuaeth rhwng y gwledydd Celtaidd, sef i roi i'r ŵyl ei henw crand, y *Pan Celtic International Song Contest*. Ac wrth i bawb ymgynnull yn neuadd fawr Gwesty'r Brandon, a fi ac Arwel yn eistedd 'da'n gilydd, dyma sylweddoli mai yn hytrach na glam a *glitz* Cân i Gymru, roedd *flip* chart a ffelt-pen trwchus o'n blaen ar y bwrdd a dim golwg o gamera teledu yn unman. Ond roedd Radio na Gaeltacht yn bresennol.

Unwaith eto, perfformiodd Gwenda'r gân yn dda, a'r band yn perfformio'n arbennig y tu cefn iddi. Roedd gan yr artistiaid eraill arddulliau gwahanol – roedd tua phymtheg yn y band o Gernyw, pobl hoffus, eitha egsentric, ac un yn chwythu mewn i sbowt tegell – grêt! O'r diwedd daeth yn amser derbyn y sgôr gan y beirniaid, ac ambell ffigwr yn cael ei groesi mas a'r cyflwynydd yn dweud, 'Sorry my mistake, there was an extra mark for Alba there.' Wedyn, y sgoriau terfynol, ac Iwerddon yn ennill. Ond na, camgymeriad ... 'No ... the winner is ... Cymru!' A doedd dim rhedeg i'r llwyfan y tro 'ma. Gwenda ei hun oedd yn ennill y tlws.

Yn ystod y tridiau, aeth rhai ohonon ni i Dingle, ac fe godais i garreg neu ddwy o'r traeth ar gyfer y tanc pysgod, a Hywel wrth ei fodd yn tynnu lluniau enwau siopau fel Abrakebabra a siop *dry-cleaners* o'r enw A Touch of Class. Ar y fferi adre dyma Dave Preece yn dweud wrtha'i, 'Rich, they want to see you at the reception desk. They've found stones on the mini-bus, and you can't take them out of the country!'

'Are you serious?!' wedes i.

'Yeah, you'd better go.'

Cyrhaeddais y ddesg a dweud, 'I'm Richard Jones. I gather you want to see me about some stones?' Ond na, doedd dim neges yna o gwbl, ac wrth i fi droi rownd dyma Dave a Wyn yn chwerthin.

'Caught!' medde Dave, 'that's for all the times you've

fooled me on the phone!' Ond roedd y daith wedi bod yn lot o sbort, ac fe wnes i a phawb fwynhau pob munud. Ond wnaeth profiad Iwerddon ddim gorffen gyda thynnu coes gan Dave a Wyn – yn anffodus.

Ar ôl i ni ddod nôl o Iwerddon penderfynodd rhai ffrindiau drefnu i fi ac Ann fynd allan am bryd o fwyd gyda nhw i ddathlu buddugoliaeth Cân i Gymru a'r ŵyl yn Tralee. Fe aethon ni i fwyty o'r enw Meigan Fayre, heb fod ymhell o Flaenffos. Roedd y bwyd yn hyfryd a'r gwin a'r cwrw'n llifo'n rhydd – ond dyma Pete y gweinydd yn dweud wrtha'i bod galwad ffôn i fi o Iwerddon. Ges i dipyn o sioc, a dyma ofyn i Pete beth oedd pwrpas yr alwad? Ond oedd ddim syniad ganddo, felly mas a fi i'r coridor a dyma lais yn fy nghyfarch dros y lein, 'Hello der Richard, my name's James Delaney from Ireland. You 'avin a good craic der wij yer friends?'

'Yes thanks,' medde fi, 'but how did you know the number of this restaurant?' Dywedodd ei fod wedi ffonio Fflach a bod Wyn wedi rhoi'r rhif yma iddo fe. Roedd hynny'n gwneud sens, meddyliais. Felly fe adewais iddo fe gario mlaen i ddweud bod e'n cynrychioli cwmni recordiau o Swydd Kerry ac ishe rhoi cân Gwenda ar CD ac i fi gyfansoddi mwy. 'That's great news!' medde fi. Ac i orffen dywedodd, 'Oi'll be in twch on Mwnday.'

Gyda cherddediad sionc, dyma dorri'r newyddion da wrth y gweddill. Y bore wedyn, ar ôl peint o ddŵr, ffonies i Wyn y peth cyntaf: 'Helo, fi sy' ma. Ffoniodd James Delaney fi yn Meigan Fayre. Cynhyrfus ond yw e!'

'Pwy yw James Delaney?' gofynnodd Wyn. Ac wrth gwrs, syrthiodd y geiniog! Jôc oedd e i gyd, a 'James Delaney' oedd Brian Jones o Gas-blaidd ger Abergwaun.

Wrth i fi gwyno wrth fy ffrindiau dyma Siân Davies (o'r ddeuawd Beti a Siân a Perlau Taf) yn dweud: 'Dyna dalu nôl i ti am dy alwadau di, fel yr amser roddes i'r ffôn lawr ar gyflwynydd rhaglen fyw ar Radio Ceredigion gan ddweud, 'Gad dy ddwli, Richard!' Enghraifft arall oedd Siân Phillips Jones o Hermon, Crymych yn rhoi'r ffôn lawr ar y ficer oedd yn mynd i'w phriodi hi a'i darpar ŵr gan feddwl mai fi oedd e. Dwi'n arbenigo mewn acenion posh Saesneg, gyda llaw, neu acen De Cymru, gan fod fy nhad o Bontycymer ger Pen-y-bont ar Ogwr. Dw'i wedi defnyddio'r ffugenw Edward le Vine, athro celf o Ddyfnaint, wedi ymddeol ac yn byw gyda'i wraig Dorothy yn Ninbych-y-Pysgod. Un o'r un anian yw fy ffrind Trefor Hughes o Lundain, brawd y Prifardd Ifor ap Glyn. Mae Trefor yn defnyddio'r ffugenw Victor Gilbert!

Y flwyddyn hon fe ddaeth Eisteddfod yr Urdd i Fro'r Preseli, a chefais wahoddiad i gyfansoddi'r dôn i eiriau Gareth Ioan, 'Hela'r Twrch Trwyth', cân am yr ardal a'r creadur chwedlonol o'r Mabinogion. Cantores ifanc o Ysgol Preseli oedd yn canu'r gân, sef Lowri Evans, sydd erbyn hyn wedi dangos ei dawn gan ddod yn enwog trwy Gymru a thu hwnt. Daeth y gân allan ar gasét gydag amryw o artistiaid o'r ardal fel Dom, Aelwyd Crymych, Tecwyn Ifan, Beti a Siân, Catrin Davies, ac o Aberteifi, Jess ac Ail Symudiad. Ysgrifennais 'Trip i Llandoch' fel ein cyfraniad ni ac mae'n sôn amdana i'n teithio nôl mewn amser (un o'n hoff destunau!) i'r Llandoch oedd yn bodoli gan mlynedd a hanner yn ôl. Ynddi rwy'n cerdded tuag at y pentref trwy niwl trwchus a chlywed 'swn yn dod o siop y crydd' a 'gweld yr afon, gweld y byd' ac yn cyfeirio at y llongau mawr oedd yn cludo pobl i'r 'byd newydd'. Rwy hefyd yn gweld y nwyddau yn cael eu dadlwytho i'r stordai anferth. Gwelais lun unwaith o ddechre'r ddeunawfed ganrif yn dangos tuag ugain o forwyr yn gwisgo hetiau tebyg i'r *Tam o'Shanter* ac yn cerdded mewn i dafarn – un o dros drigain oedd yn Aberteifi a Llandoch bryd hynny. Digon o ddewis felly. Roeddwn i wedi ysgrifennu 'Llongau'r Byd' cyn hyn, ac roedd hon yn adlewyrchiad hefyd o'r bwrlwm anhygoel yn yr ardal. Ffilmiwyd Ail Symudiad ar gyfer *Fideo 9* yn canu hon yn yr harbwr.

Roedd ffrind o Loegr yn dweud wrthon ni (Ail Symudiad) bod ein harddull yn dechrau dod yn boblogaidd gyda bandiau o gwmpas y lle, hynny yw, arddull *jangly pop*. A dywedodd ffrind arall ei fod wedi clywed un o'n caneuon ni dros y *tannoy* yn ffatri ddillad Slimma yn y dre ar raglen ar Radio 1 – ond fe wnes i ganfod mai dim ni oedd rheiny, ond band â sŵn tebyg. O ran gigs roedden ni'n eitha tawel, ond yn cael rhai'n rheolaidd yng Nghlwb Ifor Bach yng Nghaerdydd, diolch i Ceri Morgan. Yn anffodus gwnaeth Paul ein drymiwr adael a mynd ac ymuno ag Electrasy, band o Hwlffordd a Dorset, a gwneud un neu ddau ymddangosiad ar *TFI Friday* gyda Chris Evans a chael cân yn y siartiau. Felly daeth Dafydd Jones o Gaerfyrddin yn ddrymiwr rhif saith! Doedd dim gigs i ni yn y gogledd bryd hynny, a ro'n i'n gweld ishe chwarae yna, ond yn deall bod grwpiau newydd yn codi a bod rhaid rhoi blaenoriaeth iddyn nhw.

Roedd rhai pobl yn dweud pethe negyddol wrthon ni, hyd yn oed bethe cas, gan ofyn 'Beth yw'r pwrpas i chi ymlwybro mlaen?' Ond yn anffodus iddyn nhw, doedden nhw ddim yn deall meddylfryd Wyn a fi. Mae cerddoriaeth yn rhan o'n bywyd, fel mae ffermio i rai. Fe fydden ni wrth ein bodd yn helpu rhai o'r bandiau newydd oedd yn dod i recordio gyda Fflach, a thrwy hynny'n cadw'n ifanc. Dwi'n meddwl bod y bandiau'n hoffi ein brand ni o hiwmor. Rwy'n cofio Al Edwards o Jylopis, un o'n bandiau ifanc o Glwyd, yn ein gweld ni ar stondin Fflach yn yr Eisteddfod rai blynyddoedd wedyn a cherdded i ffwrdd gan ddweud, 'Grêt i weld eich bod chi mor nyts ag erioed!' Neu Siôn 'Dom' Williams, y cerddor a'r cyfansoddwr yn dweud yn rhyw Steddfod, 'Y'ch chi'n tynnu egsentrics atoch fel magnets!' Dyna'r fath o ganmoliaeth roedd y ddau ohonom ishe clywed!

Ffrind annwyl yw Dylan Williams o Ystrad Aeron, a phan fydde fe'n fy nghlywed i'n treial esbonio jôc i rywun, bydde fe'n sibrwd: 'Ma' dy hiwmor di dros eu penne nhw'. Wrth gwrs, mae'r Eisteddfod a'r Sioe yn rhoi cyfle da i ddal fyny gyda hen ffrindiau a gwneud rhai newydd. Yn y Sioe bydden ni'n gweld Rosfa (Eirian Wyn) a Mici Plwm bob blwyddyn. Un arall fyddai Marc Griffiths, cyflwynydd Radio Ceredigion yr adeg honno, a Wyn a fi'n ei fedyddio'n 'Marci-G' ar ôl y cymeriad teledu Ali-G. Roedd Tudur Lewis, Login, cynrychiolydd Sain yr adeg honno yn gweithio ar ei stondin yn y Sioe. Un o ffans cyntaf Ail Symudiad oedd Tudur, a ro'n ni falch i helpu allan os fydde ishe brêc sydyn arno a gweiddi: 'CDs Sain punt yr un!' Jôc yw'r lein olaf 'na wrth gwrs, a chwarae teg i Dafydd Iwan, bydde fe'n diolch i Wyn a fi bob blwyddyn am y cymorth.

Roeddwn i'n dal i ysgrifennu caneuon, ac fe wnaeth Gwenda Owen cyfyr o 'Gwena dy Wên'. Ro'n i'n neud ambell i gân i Aelwyd Crymych, a mynd 'da'r aelodau i Eisteddfod yr Urdd. A phan oeddwn i ymhell o adre, bydden i'n aros yn lleol ym mro'r eisteddfod. Roedd cystadleuaeth y Noson Lawen o hyd ar y nos Sadwrn, ac ennill neu golli, bydde canu yn y bar ar ôl hynny. Ond fydden ni yn cael sgwrs gyda'r locals, wrth gwrs.

Pan oedden ni'n aros ger Rhuthun un tro daeth Doug Mountjoy, y chwaraewr snwcer mewn i'r lolfa – falle bod cystadleuaeth rhywle o fewn cyrraedd. Roedd y canu'n codi'r to. Edrychodd e rownd ar y crowd yn canu 'Fflat Huw Puw' a 'Sosban Fach' fel petaen nhw wedi disgyn o blaned arall, neu'n gang o *Mongolian Throat Singers*! Mae e'n dod o Lyn Ebwy, ac esboniais i wrtho fod fy ewythr wedi byw yno, ac mai fe oedd rheolwr y Co-op am flynyddoedd. Dangosodd ychydig o ddiddordeb, ac ar ôl sgwrs fer a dweud fy 'Nos da' wrth y criw fe wnes i ddianc i'r stafell wely ac edrych allan am sbel ar fynyddoedd Clwyd ... Ah! ... Tawelwch ...

Rhywun Arall Heno

Rwy'n meddwl am rywun arall heno
Rwy'n teimlo dros rywun arall heno
Rhywun sydd ar faes y gad
Rhywun nawr heb un rhyddhad
O'r byd a'i boen
O dan y lloer

Rwy'n cofio am rywun arall heno
Rwy'n gweld rhywun arall heno
Y rhai sydd yn cysgodi nawr
Y rhai sy'n aros am yr awr
I weld y dydd – cael bod yn rhydd

Tegwch a ddaw rhyw ddydd
Tegwch a ddaw rhyw ddydd
Tegwch a ddaw rhyw ddydd
Iddyn nhw
Tegwch a ddaw rhyw ddydd

Rwy'n gwrando ar rywun arall heno
Cydymdeimlo â rhywun arall heno
Rhywun sydd ymhell i ffwrdd
Falle rhywbryd gawn ni gwrdd
Mewn mangre saff
Ac awyr iach

Rwy'n meddwl am rywun arall heno ...

Tegwch a ddaw rhyw ddydd ...

Logo CND Cymru

Dw'i wedi ysgrifennu caneuon i bobl eraill, ac un o'r rheiny oedd Bryn Chamberlin, sy'n byw yn Llandudno. Roedd yn aelod o'r Anglesey Strangers trwy fwrlwm y *'swinging sixties'* ac wedi chwarae yn y Peppermint Lounge yn Lerpwl. Idris Charles wnaeth sôn am Bryn a'i dalent a wnes i gysylltu ag e a'i wahodd i recordio gyda Fflach. Ar ôl clywed demo, teimlais fod rhywbeth arbennig ac emosiynol yn ei lais, ac yn addas iawn ar gyfer baledi roc. Roedd yn perfformio yng ngogledd Cymru, ond yn bennaf yn ardal Llandudno – yn canu yng ngwesty'r London – a cyfyrs oedd y rhan fwyaf o'i albym cyntaf. Ond wnes i gyfansoddi sawl cân yn ystod y 90au ar gyfer yr ail albym. Gwnaeth Wyn recordio'r cefndir i gyd yn y stiwdio, ac wedyn mynd i fyny â'r offer i gartref Bryn yn Llandudno ar gyfer y llais. Cawsom groeso mawr ganddo fe a'i wraig Connie yn Bodnant Road. Un noson aeth Wyn, Connie a fi i'w glywed e'n canu yn y London, a chafodd ymateb grêt gan y bobl leol a'r ymwelwyr fel ei gilydd. Trannoeth cafwyd brêc yn y recordio a dyma fynd i'r dre. 'You won't keep up with Bryn, you know, ' dywedodd Connie. 'He walks really fast!' A gyda'r siopau'n hedfan heibio, roedd Wyn a fi yn falch i weld caffi i gael cinio. 'Dy'ch chi hogiau'r Sowth ddim yn ffit!' wedodd Bryn. 'Gorllewin!' atebais. Mae rhywbeth hyfryd am Landudno, tref llawn cymeriad, ac aeth y tri ohonom i fyny Pen y Gogarth ac edrych lawr ar South Parade a'r pier, cyfle i Wyn dynnu lluniau ar gyfer clawr y casét.

Ymysg y caneuon wnes i ysgrifennu i Bryn roedd fy nghân gyntaf yn Saesneg, 'Liverpool in the Rain'. Wedyn daeth 'Gobaith', ' Meddwl Amdanat Ti', a'r dôn i eiriau teimladwy'r actor Ieuan Rhys, 'Cae yn Llawn o Flodau' am drychineb Hillsborough. Un arall oedd 'Rhywun Arall Heno' ac mae Ail Symudiad erbyn hyn wedi recordio fersiwn o hon, ac mae'n ffefryn gyda Huw Stephens. Mae'r geiriau'n sôn am y miliynau sy'n dioddef oherwydd rhyfeloedd a brwydrau, ac am oferedd rhyfel yn gyffredinol – hynny yw, ar wahân i reidrwydd, fel cael gwared o'r Natsïaid. Mae rhai gwledydd yn meddwl bod hawl ganddynt i blismona'r byd, ond ddim yn ystyried y sgil-effeithiau, gan adael llefydd yn waeth ar ôl ymyrryd.

Yn y nawdegau hwyr dechreuodd ein label *fflach:tradd* i hyrwyddo cerddoriaeth draddodiadol Gymreig a phenodwyd y pibydd Ceri Rhys Matthews i arwain. Fe wnaeth y label ryddhau dau CD i ddechrau, sef *Ffidil a*

Datgan. Roedd y rhain yn unigryw yn y byd cerddorol yng Nghymru, ac roedd Ceri yn bwysig i ni fel ein cynhyrchydd. Penderfynwyd mynd i Ddulyn i hyrwyddo'r CDs, ond pan ddechreuais ar y daith o adre i Gaergybi cwympodd yr *exhaust* bant oddi ar y car, gan fy ngorfodi i ddychwelyd adre a benthyca car fy ngwraig. Roedd hi'n hapus i wneud!

Y trefniant oedd cwrdd â Ceri mewn tafarn yng nghanol Bangor ac wedyn mynd am y porthladd – ond collais lawer o amser yn newid ceir, ac roedd pob golau ar goch ar y ffordd fyny. Dyma edrych ar y watsh wrth gyrraedd y maes parcio ym Mangor a rhedeg fel Usain Bolt trwy'r strydoedd, a Ceri'n gofyn, 'Ble wyt ti wedi bod?!' Beth bynnag, awê am Gaergybi â ni, a gweld y cwch yn hwylio'n hamddenol allan o'r porthladd. Rhaid oedd aros am y nesaf!

Ro'n i'n cwrdd â Bob Evans a Gareth Whelan, dau ffidlwr, mewn llety gwely a brecwast yn Clontarf, ardal yn agos i borthladd Dulyn. Yn y dyddiau cyn ffôn symudol, roedd yn rhaid ffonio perchennog y llety ac esbonio'r sefyllfa – ac oriau'n hwyr, dyma ni'n dau yn cyrraedd. Trannoeth cawsom gyfweliad gyda Sean Laffey, o'r *Irish Music Magazine*. Cyfaddefodd nad oedd yn gwybod llawer am fandiau traddodiadol Cymreig, a dywedodd bod digon o waith ganddo eisoes i hyrwyddo'r cannoedd o fandiau ac unigolion oedd yn bodoli yn ei wlad ei hun. Ond dywedodd ei fod yn gwerthfawrogi ein hymweliad gan addo cynnwys erthygl yn y cylchgrawn.

Wedyn aethon ni i Temple Bar i gwrdd â Tom Sherlock o Claddagh Records. 'You're very brave promoting Welsh traditional music in Ireland!' medde fe, ac wrth i ni adael, hongianodd *bodhran* i fyny ar y wal gan ddweud,

'Summer's coming!' A chyfeiriodd at y Yanks fydde'n dod i'r brifddinas.

Wnes i ddarganfod yn ddiweddar drwy *Ancestry DNA* fy mod i 52 y cant yn Wyddelig/Albanaidd, yn Gymro wrth gwrs ac wedyn yn perthyn i ogledd yr Almaen, Gwlad Belg, yr Iseldiroedd, gogledd Ffrainc, ac ychydig o dde-ddwyrain Lloegr! Sdim rhyfedd i ffrind ddweud y gallwn i gynrychioli wyth gwlad yn yr Ewros! Ond y Wal Goch i fi bob tro! Un peth wnaeth fy syfrdanu mewn gig mewn hen neuadd gerdd yn Nulyn, oedd yn llawn o bobl o bob oedran, oedd y tawelwch pur a gâi'r band. Mae gigs gwerin yng Nghymru'n gallu bod fel y cleber yn *Pobol y Cwm* neu *Coronation Street*. Wrth fynd am adre teimlais iddi fod yn werth mynd draw i rwydweithio a sefydlu cysylltiadau ar gyfer y dyfodol.

Gyda throad y mileniwm ffurfiwyd label newydd arall, sef Rasp, ar gyfer pobl ifanc. Band Yws Gwynedd, Yr Anhygoel, oedd y cyntaf i recordio; Mici Plwm oedd y cyswllt i'r band a'u caneuon pop/roc cofiadwy. Roedd Wyn a fi'n dal i gyfeilio i Aelwyd Crymych, a gwnaeth yr Aelwyd ffurfio *boy band spoof* o'r enw y Boisbach ar gyfer cystadleuaeth y Noson Lawen. Roedd Eifion Daniels wedi ysgrifennu 'Rap y Boisbach' i'w berfformio gan bedwar ohonynt ar gyfer Eisteddfod yr Urdd Conwy. Yn y rhagbrawf yn Ysgol y Creuddyn, a'r gynulleidfa yn eu harddegau, roedd chwerthin di-baid am y canu a'r symudiadau lletchwith, mor annhebyg i fandiau fel Take That neu Mega. Dywedais wrth Wyn bod 'rhywbeth gyda ni fan hyn', a thra bod yr Aelwyd yn casglu eu pethe at ei gilydd yn un o'r stafelloedd cyn mynd i'r Maes, aeth Wyn at y piano a chanu, 'Wyt ti'n bertach na Colin'. A wnes i ychwanegu 'Rwyt ti'n hedfan fel eryr mewn i 'mywyd i'. Cyhoeddwyd CD sengl, a sgrifennodd Wyn a finne 'Colin' ar y cyd. Doedd dim stopio Billy, Wili, Jim a John (Kevin Vaughan, Carwyn John, Gareth Delve a Llŷr John) a chafwyd athrawes a dawnswraig broffesiynol sef Eleri Mai Thomas i ddysgu'r stepiau iawn iddyn nhw.

Daeth yn amser rhyddhau EP, a chefais rwydd hynt i redeg reiat â'r doniolwch a ysgrifennais 'Torth Fach Frown' (dyn yn galw ym mhopty J.K. Lewis a gofyn am dorth fach frown bob bore.) Wedyn, 'Twrci Tew Crispy Neis' (cân tafod yn y boch ond ddim yn wrth-llysieuol). Yna, 'Mobile yn fy Mhoced' (obsesiwn am y ffôn symudol – yr un mor wir heddiw ag yr oedd yn 2000) – a 'Wili Ti'n Ffein' (chwarae teg i Angharad Brinn, canodd ddeuawd rhamantus gyda Wili). Roedd y sesiynau recordio yn sbort hefyd, a wnes i eistedd mewn ar rai ohonynt. Gwnaeth y Boisbach gig yn y Bull yn Eisteddfod Genedlaethol Dinbych ac roedd y symudiadau dawns erbyn hyn yn eitha slic, a phleser oedd gweld pobl fel Geraint Løvgreen a Mei Emrys wrth eu bodd gyda nhw. Ysgrifennais ganeuon eraill ar gyfer eu trydydd CD; un ohonynt oedd 'Cŵn Cymru', sgit ar 'Cool Cymru', ac un o'r leins oedd 'Mae 'na Shih Tzu hardd yn Corris o'r enw Boris'. Roedd y pedwarawd yn rhan o ddathliadau Eisteddfod Genedlaethol Tyddewi – ond yn raddol daeth eu gyrfa i ben fel nifer o'r *boybands*. 'Ond doedden nhw'n ddyddiau da', fel wedodd Hergest.

Ar ôl hyn cefais gyfnod tywyll yn fy mywyd a thoriad iechyd meddwl llwyr. Math ar *nervous breakdown* eitha gwael oedd hyn, a digwyddodd yn y lle a fyddai yn y blynyddoedd cynt yn llawn hwyl a sbri i fi, sef y Sioe Fawr yn Llanelwedd. Mae'n debyg, a sai'n cofio, fy mod i'n eistedd mewn cadair ar stondin Fflach yn 2003 pan wnes i stopio siarad. Neu i neud yn ysgafn o'r peth, fel bydde Alan Partridge yn dweud '*my chat ended*'. Roedd Wyn ac Owain Young o Shwl-di-Mwl yn gwybod bod rhywbeth difrifol yn bod, a ffoniwyd Ann i ddweud y byddwn i'n gorfod dod adre. Y diwrnod wedyn fe wnes i fynd i Ysbyty Llwynhelyg, Hwlffordd i gael profion, ond ni ddarganfuwyd dim byd o'i le. Felly adre â fi i Ddolwen. Ond doedd dim gwella, ac ar ôl treial gwahanol dabledi, y cam nesaf oedd mynd i Ysbyty Glangwili, Caerfyrddin i gael mwy o brofion, ac yn y diwedd i Ward Teilo, adran iechyd meddwl yr ysbyty.

Ar y dechrau, y gorchymyn oedd 'dim ymwelwyr' heblaw am Ann a'r meibion. Roeddwn i wedi colli diddordeb ym mhopeth, a dim ond eistedd yn fy stafell wely fyddwn i, ac yn casáu mynd i'r *day room*. Ac er nad ydw i'n medru cofio llawer am y cyfnod hwn, roedd clywed menyw yn chwarae'r piano a chanu â llais uchel yn mynd ar fy nerfau. Doedd dim chwant bwyd; doedd fy hoff fwyd, sef cyri, byth ar y fwydlen. Tato mash oedd yr arlwy bron bob dydd, i'r fath raddau fel nad ydw i ddim yn ei hoffi hyd heddiw. Ar ôl peth amser fe ges i therapi galwedigaethol, sy'n cynnwys arlunio ac i apelio at fy ochr gerddorol, llunio mosaic mewn siâp gitâr ar floc o bren. Ond doedd hyd yn oed hynny ddim yn gweithio.

Gan fy mod i yng Nghaerfyrddin, doeddwn i ddim yn nabod neb. Un diwrnod roedd merch o Aberteifi yno, ond doedd hi ddim yn gyfarwydd â fi. Wedyn wrth gerdded y coridor un dydd dyma weld hen ffrind o'r dre, David Robertson Williams. Ei ymateb oedd: 'Good God, Rich, is this a joke? What are you doing *here*?!' Dyma un sgwrs fedra'i gofio'n glir iawn, 'I'm afraid it's not a joke Dai,' medde fi. Bydda'i o hyd yn ddiolchgar i Ann am ddod i ngweld i bob dydd, a Wyn wrth gwrs. Ac i Eirlys, nyrs a chyfnither i Ann am alw'n rheolaidd hefyd a fy ffrind mynwesol Owain Young am ddod o leia deirgwaith yr wythnos.

Yn raddol, dechreuais wella, a daeth Ann mewn â'm gitâr acwstig – ond fedrwn i ddim ei chwarae o gwbwl, a'r bysedd yn methu dala cord lawr. Ofnais na wnawn i byth chwarae eto. Ond cafwyd arwydd da yn y therapi galwedigaethol pan ddywedodd y nyrs, 'Oh, that's a lovely painting!' A finne'n ateb, 'No, it's bloody rubbish!' Rwy'n peintio fel plentyn, ond o'r diwedd daeth y chwerthin yn ôl. Ac ym mis Ionawr 2004, ar ôl pum mis yno daeth yn amser mynd adre. Teimlad rhyfedd oedd hyn ar ôl bod bron yn *institutionalised* ac aeth ymron ddwy flynedd heibio cyn medru mynd nôl i weithio yn swyddfa Fflach. Rwy'n cofio mynd i weld Tecwyn Ifan a Vanta yng Nghrymych, y tro cyntaf i fi fynd i gig ers yr afiechyd, a phobl yn gofyn a fydde Ail Symudiad yn canu eto. Fy ateb bob tro, yn ddiffuant, oedd 'Na!'

Dyma roi cynnig ar chwarae'r gitâr unwaith eto, ond methu gwneud hyd yn oed siapau cordiau. Nes un diwrnod fe wnaeth e ddigwydd. Fe wnes i jyst gafael yn y gitâr, a daeth popeth nôl, yn llythrennol dros nos. Gwnaeth hiwmor, a gwylio *Fawlty Towers* a *Monty Python*, yn enwedig *The Life of Brian*, fy helpu i wella, a dyma Wyn yn dweud un diwrnod, 'Beth am neud gig?' Dw'i ddim yn berson hyderus iawn, yn wahanol i rai yn y maes canu, a do'n i ddim mor siŵr. Ond gwnaeth Jim Saunders, gitarydd y band ar y pryd, fy annog hefyd, felly trefnwyd y gig, a hynny ym Mar y Seler, Aberteifi. Ar y noson, erbyn mynd ar y llwyfan – er i fi gladdu Carling neu ddau – ro'n i'n nerfus bost. Ond ar ôl tair neu bedair cân tawelodd y nerfau a gwnaeth yr adrenalin gicio mewn. Gydag ymateb gwych gan y gynulleidfa, roedd y Renby Toads, neu Ail Symudiad, yn ôl!

Dechreuais ysgrifennu caneuon eto, ond aeth y rhain ddim ar CD. Un ohonynt oedd 'Chainsaw, Llygod a'r Tafarn Sinc' am fachgen â'r llysenw Chainsaw yn raso llygod yn Nhafarn Sinc Rosebush ger Maenclochog, Sir Benfro. Mae hi'n dafarn gymunedol nawr, diolch i ymdrechion pobl leol.

Dechreuodd Osian y mab ifancaf chwarae'r drymiau yn lle Matthew Lundberg, a phan adawodd Jim daeth Dafydd y mab hyna ar y gitâr. Felly roedden ni'n ddau set o frodyr – y tro cyntaf i hynny ddigwydd yn y byd pop Cymraeg dwi'n meddwl. Pan oedd Osian yn methu gwneud, Peter James fyddai'n drymio. Roedd yn ddrymiwr sesiwn ac yn dysgu drymiau yng Nghaerfyrddin. Roedd e wedi bod yn aelod o'r Blackjacks, ac wedi chwarae yn Hambwrg adeg y Beatles. Bu'n chwarae i Owen Money, Mike Doyle a llu o berfformwyr eraill. Mae e'n llawn storïau diddorol a doniol, fel yr amser pan oedd mewn band cyfyrs o ardal Abertawe, un oedd â chanwr diamynedd iawn. Yn ystod gig mewn parti priodas, a phethe'n hwyr yn dechrau, roedd y canwr wedi gwylltio. Ac wrth weld y priodfab a'r briodferch yn dal i eistedd, gwaeddodd dros y meic 'Will the bride and groom please get on the f****n dancefloor?!' A dyma'r ddau yn rhedeg, medde Peter, i ganol y llawr!

Mae 'Byw yn y Wlad', fel oedd Meic Stevens yn canu

amdano, yn fy siwtio fi i'r dim, gyda golygfa o'r Frenni Fawr, un o fynyddoedd y Preselau, o'r tŷ. Dwi'n hoff iawn o adar, planhigion a choed – ac mae'r tymhorau o hyd yn dod â rhywbeth newydd. Mae gen i bwll bychan yn yr ardd oedd yn llawn pysgod aur, nes i grëyr glas, neu crechi yn y dafodiaith leol, eu bwyta. Mae rhai yn barnu mai minc oedd ar fai. Nawr dim ond sildod sydd gen i.

Mae caneuon gen i sy'n canmol y wlad hefyd fel 'Sbri ym Mynachlogddu' a 'Y Cei a Cilgerran'. Y cymydog sy'n byw gyferbyn yw Annette Owen, sy'n hyfforddwr gyrru ac yn ffyddlon i'n gigs ni yn lleol. Dwi'n aml yn dweud o'r llwyfan, 'Os am bwco Annette, gofynnwch iddi am garden heno!' Roedd ei thad Willie yn dipyn o gês, a bydden i'n cael llawer o sgyrsiau gydag e tu allan i'r tŷ. Gweithiwr fferm oedd e, ac un flwyddyn yn y gwanwyn daeth gwahadden ar ymweliad i Ddolwen gan greu nifer o dwmpathe pridd ar y lawnt. Byddai Willie'n tynnu fy nghoes am hyn. 'Gei di byth wared â honna,' medde fe. 'Bydd hi gyda ti am sbel fowr.' Aeth hyn ymlaen am dipyn, nes ei bod hi'n ddiwrnod Ffŵl Ebrill. Ro'n i wedi bod allan y noson cynt mewn cyngerdd yng Ngwesty'r Cliff, Gwbert, ger Aberteifi. Wrth gyrraedd nôl toc wedi deuddeg, a'r *amber nectar* yn fy ngwaed, penderfynais godi pridd o'r ardd, ei falu'n eitha ffein a gosod dau dwmpath ar ei lawnt. Codais yn weddol gynnar trannoeth ac eistedd i ddisgwyl Willie i ddod allan o'r tŷ. Hir yw pob ymaros, ond o'r diwedd dyma fe'n dod allan gan edrych yn syn ar y ddau dwmpath. Wedyn aeth e nôl i'r tŷ. Yn y cyfamser es i lawr i'r siop ac wrth gerdded nôl roedd e allan eto. Medde fe, 'Dere 'ma, ma'r blincin gwahadden (neu eiriau tebyg!) 'da fi nawr!'

'Wel, wel', medde fi, 'wedais i bod nhw'n gallu croesi'r hewl, ti'n gwybod.' Ac ar ôl ychydig ... 'Ti'n gwybod pa ddiwrnod yw hi heddi Willie?'

A dyma fe'n sylweddoli. 'Y diawl bach â ti! Ti wedi dala fi.' Ond wnes i ei helpu fe i gael gwared â'r pridd!

Roedd Willie'n fardd hefyd â dawn i ysgrifennu emynau, a hiwmor oedd y ddau ohonom yn ei rannu. Bydde fe o bosib yn *alternative comedian* heddi, tebyg i Tydfor o Adar Tydfor, bois Hogia Llandegai neu Eirwyn Pontshân – pobl dosbarth gweithiol gwerinol yn cyfrannu llawer i Gymru a'i chefn gwlad. Bydden ni'n llawer tlotach heb gymeriadau hoffus fel hyn.

Y Llwybr Gwyrdd

Wrth fy modd yw'r teimlad wrth deithio yn ôl
Ar hyfryd hudol nos
Rwy'n cofio siarad ger y tân
Darlun oedd mor dlws i ni yr amser hynny
Dim ond ni i gyd yn rhannu y ffordd
I gyd yn rhannu y ffordd

I ddilyn llwybr gwyrdd trwy y dydd
Dilyn llwybr gwyrdd, llwybr rhydd
Dilyn llwybr gwyrdd, a fydd e na
Y llwybr gwyrdd

Ond i fi roedd pethau mor wahanol i ddod
O dan y coed a'r dail
Roedd blodau perffaith ger y tŷ
Ond roedd y drws ar gau i fy ngorffennol i
A does dim hawl i gerdded y tir byth mwy
I gerdded y tir byth mwy

A dilyn llwybr gwyrdd...

*Hen adfail – cân am rywun wedi ymfudo ac yn gweld dirywiad
yr hen gartref*

Erbyn 2006 ro'n i wedi ymweld ag Iwerddon sawl gwaith,
gan gynnwys ymwneud â phrosiect cerddoriaeth trwy
Myles Pepper o Ganolfan Celfyddydau Gorllewin Cymru
yn Abergwaun. Bues i, Wyn a Jackie Hayden o Wexford yn
dewis artistiaid a bandiau ifanc o dde-ddwyrain Iwerddon
a de Sir Benfro yn bennaf i ymddangos ar CD o'r enw *Celtic
Connections*. Gan fod Jackie yn rhannol berchen ar *Hot
Press*, cylchgrawn pop a roc mwya'r wlad, roedd yn gyfle
da i roi sylw i dalent newydd. Gwnaeth Wyn a fi aros gyda
fe a'i wraig Mary sawl gwaith yn ystod y broses hon. Roedd
ganddo sawl hanesyn am fywyd yn y wlad. Un oedd am
siop fetio wedi agor yn Nulyn y drws nesa i drefnwr
angladdau, a'r enw ar y siop oedd 'Dead Cert'. Un arall
oedd honno am fand o Iwerddon yn mynd ar daith i

America. Roedd ganddynt reolwr a oedd brin bum troedfedd o daldra, a gweddill y grŵp wedi argyhoeddi trefnwyr un o'r gigs ei fod o linach *Leprechauns*. Pan ddywedais unwaith wrth Wyddel, 'Leprechauns probably don't exist ...' ei ateb oedd, 'What do you mean "probably"?'

Un flwyddyn fe wnes i, Ann a'r bois a Wyn a ffrindiau rentu bwthyn ar stad ger Killarney – ond ar ôl cyrraedd, roedd y 'bwthyn' yn fyngalo modern. Dyna farchnata Gwyddelig ar ei orau. Cafwyd amser da yn ystod yr wythnos, fel mynd i Middle Lake, un o lynnoedd Killarney a hwylio mewn cwch a mynd trwy'r wlad wedyn mewn cart a cheffyl. Roedd dwsinau o'r rhain o gwmpas y dre, a'u perchnogion yn aros i neidio ar ymwelwyr. Siwrne fach wedyn i'r Gap of Dunlow ger mynyddoedd MacGillycuddy's Reeks. Teimlais fod rhywbeth hudol am Swydd Kerry. Mae pethau annisgwyl yn digwydd yno hefyd fel pan es i mewn i siop tships yn Killorglin gydag archeb ar ôl bod ar lan y môr. Roedd bachgen ifanc yno oedd newydd brynu pecyn llawn pan gerddodd dyn lot hynach i mewn a thaflu'r tships dros bob man. A dim gair yn cael ei ddweud rhwng y ddau na pherchennog y siop!

Deallwyd wedyn bod y 'Puck Fair' ymlaen a'r Guinness yn llifo. Mae 'Puck Fair' yn mynd nôl i 1613 ac mae 'puck' yn dod o'r gair 'poc', sef bwch gafr. Ceir yno adloniant fel bandiau roc a gwerin, barddoniaeth, comedi, gorymdeithiau a pherfformwyr syrcas. Mewn Gwyddeleg, enw'r digwyddiad yw 'Aonach An Phoic', sef Ffair y Bwch Gafr. Mae Oliver Cromwell yn rhan o'r hanes hefyd, pan oedd yn mynd o amgylch Iwerddon yn creu hafog. Dyna i chi ddyn clên oedd yr hen Ollie!

Cwpwl o flynyddoedd ar ôl hynny, aethon ni i Youghal,

tref ger y môr yn Swydd Corc lle mae aber lydan. Wrth gerdded o gwmpas ar y noson gyntaf, sylwais fod nifer fawr o bobl yn cario gwialen bysgota. Fe wnes i holi rhywun am hyn a chanfod mai dal mecryll oedd y tu ôl i'r cyfan. Mae'n debyg fod cannoedd ohonynt yn dod fyny'r aber. Yn ffodus ro'n i wedi dod â thair gwialen o adre, felly trannoeth fe wnaeth Wyn, fi a'r bois bysgota o'r traeth a dala tri physgodyn. A nôl i'r tŷ â ni i'w ffrio. Alla i ond cytuno gyda chân Endaf Emlyn!

Bws mini oedd gyda ni, ac un diwrnod fe aethon ni i bwll nofio rhyw westy mawr. Wrth i fi eistedd yn y lolfa ger y dderbynfa dyma lwyth o Americanwyr yn cyrraedd mewn bws crand. Meddyliwch y ffws wrth iddynt arwyddo'u henwau yn y llyfr cofrestru. Dyma nhw'n holi'r cwestiynau rhyfeddaf wrth y ddwy ferch tu ôl i'r ddesg. 'Do ya keep your own cattle?' gofynnodd un. 'I beg your pardon sir, what do you mean?' gofynnodd un o'r merched. 'The steak on this menu; do you rear the steers here?' 'No, we don't,' medde hi. A'r dyn yn cerdded bant yn ddig tra'r ferch yn gwenu'n dawel. Dyna gau dy ben di, John Wayne! meddyliais.

Cefais ysbrydoliaeth i ysgrifennu cân am yr Undertones, o'r enw 'Diwrnod yn Derry' – ond dyw'r gân ddim jyst yn eu canmol nhw, mae hi hefyd am Iwerddon yn gyffredinol. Y llinellau agoriadol yw, 'Dwi ishe rhedeg i Iwerddon nawr ... dwi ishe gadael gyda'r wawr ...'.

Fues i hefyd i Tipperary i gwrdd â chynhyrchydd rhaglen werin. Roedd Julie Murphy o *fflach:tradd* yn ymddangos arni, a'r rhaglen yn cael ei ffilmio ar hen fferm yn y wlad. Y cyflwynydd oedd Mairéad Ní Mhaonaigh o'r grŵp Altan. Ond yr hyn doeddwn i ddim yn ei sylweddoli ar y pryd oedd bod y band yn fyd-enwog, ac wedi gweithio gyda sêr fel Donal Lunny o Planxty a Moving Hearts. Roedd bar ar y fferm, ac yn ystod y nos cafwyd sesiwn gerddorol. Roedd perchennog y fferm a'i ffrindiau yn canu, ac yn ei chanol fe wnes i ganu 'Trip i Llandoch'. Fe ges i ymateb da gan bawb, yn cynnwys Mairéad, a oedd yn chwarae'r ffidil. Profiad swreal oedd canu am Llandoch ym mherfeddion Iwerddon. Wedyn cafwyd dawnsio Gwyddelig gan ferched lleol ac yn bresennol hefyd roedd partner Mairéad ar y pryd, ac aelod arall o Altan, sef Dermot Byrne, chwaraewr acordion, a ges i sgwrs hir 'da fe. I ddiweddu canodd Mairéad 'Song for Ireland', a anfarwolwyd gan Mary Black, a chafodd ymateb emosiynol iawn. Teimlais hi'n fraint cael bod yno.

Ar ymweliad arall aeth Owain Young a fi draw am gwpwl o ddiwrnodau a mynd i weld y 'Famine Ship' yn New Ross, replica o'r hen longau ymfudo o gyfnod y Newyn Mawr, a gludodd filoedd o Wyddelod i'w halltudiaeth yn America. Wrth i hanesydd ein harwain ni o gwmpas dyma griw o ferched ysgol yn eu harddegau cynnar yno'n gwrando. Ond wrth weld Owain yn gwisgo crys-t gyda deilen cannabis arno, meddai un, 'Look, he's wearing a feckin hash shirt!' Roedd hyd yn oed yr athrawon yn chwerthin. Ar un adeg ro'n i'n mynd gymaint i Iwerddon, roedd y staff ar y fferi yn fy adnabod!

Mae hanes Cymru wedi dylanwadu ar fy nghaneuon wrth gwrs, ac yn eu plith 'Cymry am Ddiwrnod', 'Y Llwybr Gwyrdd' a 'Croeso i Gymru' – ac mae'r gân honno'n sôn am Maradona a Phatagonia. Cân ychydig yn drist yw 'Y Llwybr Gwyrdd' am Gymro neu Gymraes sydd wedi gorfod ymfudo ymhell o adre a dod nôl a gweld y bwthyn ble'i magwyd yn adfail, a phorfa a drain yn tyfu o gwmpas y lle. Ysgrifennais gân arall am ymfudo o'r enw 'Bywyd heb Barbeciw' – Awstralia oedd y testun y tro hwn. Dywedodd Cymro oedd yn arfer byw yno wrtha'i nad oedd lle tebyg yn bod. Disgrifiodd un arall y wlad fel 'paradwys'. Fe aeth yn ddadl rhyngon ni am y modd y triniwyd cenedl yr Aborijini. Dyfynnais eiriau'r newyddiadurwr Jon Pilger, sydd yn dod o Awstralia, am ei gyd-wladwyr, 'Their racism is on a par with South Africa under apartheid'. Mae awdurdodau'r wlad yn anfon ffoaduriaid sy'n cyrraedd mewn cychod amheus i ynys 'allan o'r ffordd'. Paradwys yn wir! Heb anghofio lager gwael a gêm wirion does neb yn ei deall, sef *Australian Rules Football*! 'Emigrate my a**e!' fel bydde Jim Royle o'r *Royle Family* yn dweud. Rhowch i mi wledydd hanesyddol Ewrop bob tro.

Roedd Ail Symudiad yn dal yn fand o frodyr, ac yn cael gigs yn y gorllewin yn bennaf. Ceid un neu ddau hefyd gyda Chlwb y Diwc, Caerdydd, diolch i Aled Wyn. Ond un diwrnod dyma Dilwyn Llwyd o Yucatan yn gofyn i ni chwarae yn y Morgan Lloyd, Caernarfon. Roedden ni'n ddiolchgar iawn i Dilwyn, gan nad oedden ni wedi chwarae yng Nghaernarfon ers bron ugain mlynedd. Yno hefyd roed Geraint Løvgreen a'r Enw Da – gwell fyth! Roedden ni wedi ymweld ag ardal Caernarfon a'r gogledd wrth gwrs ers yr 8oau, ond ddim i berfformio. Ar y ffordd i fyny dyma fi'n dweud wrth y meibion am y llefydd oedd o bwys i ni ar y daith i dre'r Cofis a'r ffordd adre wrth gwrs. Y pobydd yn Llan-non, er enghraifft, oedd yn fodlon gwerthu Pastai Cernyweg i ni yn oriau mân y bore. Ac adfail tu allan i Fachynlleth oedd yn dŷ mawr crand nawr. A'r tŷ toll ym Mhorthmadog ble roedd Richard Jones yn cymryd yr arian. (Gofynnais iddo beth oedd ei enw un diwrnod). 'O na, un arall!' medde'r bois.

Roedd hi'n dda gweld hogie Ficar, Ifor ap Glyn a'i frawd Trev ynghyd â Bryn Fôn, Robin Evans o Mynediad am Ddim, Rhys Harris o'r Trwyne Coch, Rhiannon Tomos a hefyd Jim Parc Nest a'i wraig Manon Rhys. Yno hefyd roedd dilynwyr y band yn ardal y dre fel Gwyn Hughes a Neil Thomas, hwnnw â'i gasgliad o fathodynnau Ail Symudiad. Aeth y gig yn grêt gyda phawb yn mwynhau set Geraint. Er ein bod ni ychydig yn bryderus, aeth pethe'n iawn i ninnau, ac arhoswyd yn nhŷ Geraint ac Eleri'r noson honno – a dyna beth oedd croeso a sgwrsio difyr. Wedyn brecwast blasus gan Eleri. Braf oedd clywed Tudur Owen drannoeth yn dweud ar y radio bod 'cynnwrf yn y dre neithiwr gan fod Ail Symudiad yn y Morgan Lloyd'. Roedd mwy ar y gorwel.

Cyn hyn dioddefais fy ail doriad meddwl, ond roedd hwn yn hollol wahanol ac yn llawer byrrach na'r cyntaf. Dechreuais siarad gormod (os oedd hynny'n bosib) a dweud pethe cwbl afresymol, fel mynnu prynu tŷ arall i fy rhieni ym Mlaenffos. Dyma Betty'n gofyn, 'Gyda beth ti'n golygu talu? Botymau?!' A phan oedden ni allan yn cerdded un diwrnod awgrymodd un o'm ffrindiau, Rhys Davies, y dylwn i fynd nôl i weld y meddyg. Felly dyma Ann yn ffonio Dr Dyfed James a gwneud apwyntiad. Pan ddaeth Dyfed i Aberteifi dros ugain mlynedd yn ôl gofynnodd i fi, 'Sut ma pethe yn Garej Paradwys?' Mae'n debyg iddo'n gweld ni'n chwarae ym Mhlas Coch Sir Fôn sawl gwaith. Pan wnaeth Ann esbonio'r broblem wrtho yn y syrjeri gofynnodd Dyfed i fi, 'Odi Fflach wedi treial arwyddo Black Sabbath neu'r Rolling Stones?!' Ro'n i'n tueddu i or-ddweud pethe ar y pryd!

O fewn pythefnos roeddwn i yn Ward Cwm Seren ar gampws Ysbyty Dewi Sant, Caerfyrddin ger Coleg y Drindod. Roedd hwn yn adeilad modern, ffres, ond ro'n i'n dal yn ddiflas o fod mewn ysbyty eto, a'r tro hwn yn ymwybodol o bopeth. Roedd y fwydlen yn well na'r un yn Ward Teilo, ac un aelod o'r staff yn fodlon mynd â fi i gael têcawê Indian yn y dre. Y tro hwn, fe wnes i fynd â gitâr mewn gyda fi a ges i ofal gwych 'da'r nyrsys. Fy meddyg yno oedd Dr Paranjapee, dyn annwyl a thyner, a rhoddes i CD Ail Symudiad iddo ac i 'gymydog' drws nesa i fi ar y ward, gŵr o Wlad Pwyl. Ac ychydig yn ddiweddarach cyrhaeddodd cerdyn post yn dweud bod ei deulu yn ffans nawr! Roedd yn agoriad llygad bod yno a gweld cleifion llawer gwaeth na fi, ond pan wnawn i holi'r nyrsys amdanynt fe gawn i gerydd. 'You're a bit too nosey Richard!' Fues i yno am fis, eto ar wahanol dabledi nes darganfod y rhai priodol, a chael diagnosis o *bi-polar disorder*. Ro'n i'n un o filoedd sy'n dioddef o hynny. Ar yr ochr gadarnhaol, gall y cyflwr arwain at fod yn greadigol: hynny'n cynnwys sgrifennu caneuon tybed?

Yn ystod y degawd o 2010 mlaen dechreuodd Lee Mason, gitarydd Lowri Evans, chwarae rhan gydag Ail Symudiad. Hefyd cafwyd gwasanaeth drymiwr o Gilgeti, John Honour, oedd yn wreiddiol o Landeilo. Mae Lee o Cold Blow, Arberth, ac fel John mae'n gerddor gwych. Mae John yn ffan anferth o *Fawlty Towers*, a bydde fe'n dweud: 'A gin and orange, a lemon squash and a scotch and water please!' Roedd hyd yn oed crys-t ganddo gyda'r dywediad arno o olygfa ola pennod gyntaf *Fawlty* gyda Lord Melbury, y twyllwr.

Yr adeg hon dechreuais ysgrifennu mwy o ganeuon a

chafodd y band gigs rheolaidd yn yr Eagle yn Aberteifi. Daeth cân arall am y dre a'r ardal sef 'Rifiera Gymreig' oedd yn enwi siop chips Cardigan Arms, Piggy Lane, Poppit a Trefdraeth, a'r bwyty Indiaidd enwog Abdul's Tandoori, lle roedd nifer o artistiaid Fflach fel Catsgam a Delyth ac Angharad Jenkins yn hoffi bwyta. Mae'r staff yn ffrindiau i fi a Wyn erbyn hyn.

Cafwyd syrpreis hyfryd yn yr ail gig yn y Morgan Lloyd, a drefnwyd eto gan Dilwyn Llwyd. Wrth ddadbacio'r ceir a mynd â'r gêr lawr i'r Seler dyma Lisa Gwilym a Gareth Iwan Jones yn dod mewn. 'Chi'n gynnar!' wedes i. Ond dod yno'n gynnar wnaethon nhw gyda'r newydd da inni ennill Gwobr RAP 2010 am Gyfraniad Oes i Pop a Roc yng Nghymru. Roedd hwn yn anrhydedd mawr i ni, a theimlem yn ddiolchgar iawn i Radio Cymru. 'Hanner o beth gymrwch chi?' gofynnais, yng ngeiriau anfarwol Arthur Picton.

Wrth sôn am Arthur Picton, roeddwn i wedi dechrau mynychu gemau pêl-droed unwaith eto gan wylio Cymru a'r Swans. Mae pêl-droed wedi bod yn rhan bwysig o 'mywyd i, a'r gêm wedi bod yn fy nghaneuon hefyd fel 'Symud Trwy'r Haf' – 'Pêl-droed ar y tywod gwyn, byth yn chwarae fel Brasil ...' Neu, o sôn am Frasil, y gân 'Pele'. Gwelais ffilm ar hanes ei fywyd ac roedd yn chwaraewr rhyfeddol hyd yn oed yn un ar bymtheg oed pan wnaeth sgowt ei ddarganfod a'i gyflwyno i Glwb Pêl-droed Santos. Un nos, o dan oleuadau'r cae hyfforddi, a'r bêl y tu allan i'r bocs ac ymhell o'r gôl roedd y sgowt yn ei wylio allan o'i stafell uwchben y cae. Gwelai Pele yn bwrw'r bar sawl gwaith a sylweddoli ei fod yn gwneud hynny'n fwriadol. Methai â chredu ei lygaid. Hynny wnaeth fy arwain i ysgrifennu amdano gan ddechrau'r gân fel hyn: 'Mae 'na siarad yn barhaus am arwyr y maes, ond mae un uwchben nhw i gyd ...'

Mae siantiau pêl-droed yn y Liberty yn gallu bod y tu hwnt o ddoniol, fel maen nhw dros Brydain. Unwaith wrth chwarae yn erbyn Wigan, a dim llawer o'u ffans nhw yno cafwyd: 'Did you come in a taxi?!'. A thynnu coes cefnogwyr eraill, 'You're only here to watch the Swans!' A ffans Celtic yn canu: 'Supercalafragalistic-Rangers-are-atrocious!' Mae lot o feirniadaeth gan rai pobl am bêl-droed, ac er bod trwbwl ambell waith, mae biliynau o gefnogwyr yn ei gwylio. Dyma'r gêm fwya yn y byd o bell ffordd, ac yn ôl arolwg diweddar gan Nielsen Sports mae ei phoblogrwydd yn cynyddu. Mae'n dod â gobaith i fannau fel cyfandir Affrica a'r holl wledydd yno sy'n ei chwarae a'r plant sy'n tyfu fyny yn addoli'r gêm. Ac mae'r Bafana Bafana, glasenw tîm De Affrica (ei ystyr yw 'Go Boys! Go Boys!') yn llawer mwy poblogaidd yn y wlad na'r Springboks, sydd ar y cyfan yn cynrychioli pobl wyn o hyd. Mae apartheid wedi gadael ei farc dwi'n ofni.

Daeth CD newydd allan yn 2010, gan fod caneuon newydd gen i. Enwyd yr albym yn *Rifiera Gymreig* ar ôl y gân oedd gyda ni yn barod. Ymhlith y lleill roedd 'Y Da a'r Cyfiawn Rai' a 'Scuttlers' am gangs o ardaloedd Manceinion ar ddiwedd y ddeunawfed ganrif, a'r cyntaf i wisgo ffurfwisg o ryw fath fel Teddy Boys y 50au, ond dros hanner canrif ynghynt. Roedd Ail Symudiad yn dal yn fand o frodyr, ond cafwyd cerddorion sesiwn hefyd ar *Rifiera*, sef y bytholwyrdd Hywel Maggs, a thalent newydd, Caradog Rhys Williams ar yr allweddellau, a'r ukulele y dysgodd i'w chwarae ar y diwrnod!

Fues i'n canu cwpwl o ganeuon ar daith gan rai beirdd adnabyddus fel Ifor ap Glyn yng Nghaffi Tanygroes, ger Llangrannog, ac roedd Edwin Humphreys yn bresennol. A chwarae teg, daeth lawr y bore wedyn i ychwanegu pres a chlarinét ar gwpwl o draciau. Mae Edwin yn enwog am chwarae i nifer o fandiau, a nawr mae Ail Symudiad yn gallu dweud gyda balchder ein bod ni ar y rhestr. Mae Edwin hefyd yn gwneud gwaith da iawn i'r gymdeithas yn ei stiwdio ei hun, sef Stiwdio Pant yr Hwch yn Llŷn. Mae rhywbeth arbennig mewn cyfeillgarwch cerddorion, ac mae'r un peth yn wir am feirdd Cymru – ond dwi ddim yn gwybod digon am y byd thespianaidd. Ry'n ni wedi dod ymlaen gyda bron bawb, a byth yn cweryla – fel wedodd bardd tra enwog wrtha'i, 'Mae'n waith caled bod yn dwat ond yw e?!' Cytuno'n llwyr, a thrwy'r degawdau ry'n ni wedi gwneud nifer fawr o ffrindiau, yn bennaf o'n cenhedlaeth ni, yn y gogledd a'r de – ond ag unigolion a bandiau ifanc hefyd. Ac wrth gwrs, heb anghofio'r rhai sy'n dod i'n gweld ni mewn gigs o gwmpas y wlad. Ymlaen â'r gân felly!

Grwfi Grwfi

Neuadd llawn lliwiau'n newid nawr
Mae y daith ac amser wedi gadael fi i lawr
Gweld hen ffrindiau ambell un yn iawn
Un yn troi am adre – cyn ddaw oriau'r wawr

Cytgan:
Grwfi grwfi troi y botwm am nôl
Julie Julie paid â bod mor ffôl
Grwfi grwfi ma 'na neges yn dod o bell
Daw'r gorffennol yn nes

Mae y brotest a'r chwyldro nawr yn un
Ar y llong mae radio a sôn am CND
Motown yn digwydd a chodi 'nghalon i
Yn y bore bach rwy'n cerdded Carnaby

Cytgan:
Grwfi grwfi troi y botwm am nôl.... (x 3)

Grwfi grwfi
Grwfi grwfi
Grwfi grwfi...ie...ie

Rwy'n edmygydd mawr o arlunwyr o Gymru a thu hwnt, ac mae 'na rai rhagorol gyda ni yn yr ardal hon fel Meirion Jones a'i ddiweddar dad Aneurin. Joanna Jones wedyn; Wyn Owens o Fynachlogddu; Malcolm Gwyon, gynt o Aberteifi ond nawr yn byw ym Mlaenporth; Jayne Young o Lanboidy; Glen Ibbotson, sy'n byw yn ardal Castellnewydd Emlyn; Glenys Davies, Blaenffos a Ieuan Lewis, Cei Bach (ger Ceinewydd). Mae Llŷr John o Grymych yn un arall talentog ac wedi peintio lluniau i Fflach fel cloriau i CDs. Mae Wyn fy mrawd yn peintio hefyd ac mae ganddo lygad da am brynu lluniau.

Mae gwaith arlunwyr yn gallu tynnu'r edrychwr i mewn; lluniau fel y Mona Lisa. Dyna pam ysgrifennais i'r gân 'Gwena dy Wên' ac un arall o'r enw 'Llun ar y Mur' i Catrin Davies a 'Darlun ar y Wal' yn nyddiau cynnar iawn Ail Symudiad. Mae gen i lun sy'n edrych allan i'r môr ac yn dangos llongau hwylio o'r ddeunawfed ganrif yn disgwyl mynd gyda'r llanw i harbwr Aberteifi. Prynais hwn mewn arddangosfa gelf yn y dre ym 1980, a ges i ddigon o amser i bori dros y lluniau gan eu bod yn hongian yn stafell ymarfer Ail Symudiad yn festri'r Tabernacl. Dw'i hefyd yn hoff o waith celf metel a chrochenwaith, ac rwy'n trysori fy nhlws Cân i Gymru, gwaith metel ar siâp y *treble clef* gan Angharad Pearce Jones, a gwaith gwreiddiol Affricanaidd gan ferch oedd yn astudio yng Ngholeg Celf Caerfyrddin. Bu Dafydd, un o'r meibion, yn astudio graffeg yno ar yr un amser.

Cawsom wahoddiad gan Eisteddfod Genedlaethol Glyn Ebwy i chwarae ym Maes C gyda Geraint Løvgreen a'r Enw Da, a hynny ger y maes carafanau. Roedd yr albwm *Rifiera Gymreig* wedi ymddangos, a *Fawlty Towers* oedd yr ysbrydoliaeth am deitl y CD. Mae Basil yn sôn am yr 'English Riviera', a sai'n credu bod comedi gwell wedi bod. Y pethe bisâr yn y gyfres sy'n apelio ata i, fel Basil yn tshecio'r welydd pan gerddodd Sybil mewn, a fe yn stafell wely merch ifanc o Awstralia. Neu'r bochdew o Siberia oedd yn berchen i Manuel, ond a oedd mewn gwirionedd yn llygoden Ffrengig – a Mrs Richards, y fenyw drwm ei chlyw. Bydd fy ngwraig yn dweud ambell waith fy mod i'n debyg i Mrs Richards. Hwyrach bod clindarddach y peiriannau argraffu yn bennaf gyfrifol, ond hefyd synau'r gigs, wedi effeithio ar fy nghlyw.

Pan mae rhyw gerddor yn ffonio ac ishe gwybod mwy am Aberteifi, dwi'n dweud bod gyda ni dri bwyty Indiaidd, un Chinese, chwe tafarn, caffis gwych, siopau diddorol a phwll nofio gyda llawer o lefydd parcio – fel gwnaeth Basil disgrifio'i westy unwaith. Ond dw'i wedi ymestyn y dywediad i Aberteifi gyfan! Dwi'n meddwl y galle John Honour y drymiwr, Derec Brown, Aled 'Bont' Jones, arbenigwr arall, neu fi fynd ar *Mastermind* i ateb cwestiynau am y gyfres!

Dw'i wedi aros mewn sawl gwesty a sai'n hoffi achwyn am y gwasanaeth, yn debyg i nifer fawr o gyd-Gymry. Ond mewn gwesty ym Mhontypridd dyma eistedd lawr i frecwast a thebot anferth ac un bag te rhwng pedwar. 'Excuse me, do you think you could possibly manage another tea bag or two?' gofynnais. Profiad arall mewn gwely a brecwast oedd sylwi bod y bara brown yn lliw 'diddorol'. Ac mewn un yn Llandudno agorais y llenni ar yr ail lawr yn gynnar yn y bore i weld un o fonheddwyr y 'Special Brew cyn brecwast' yn edrych yn gas arna'i a chodi dau fys! 'Croeso i Landudno!' meddyliais. Ac yn Nhonyrefail yn y Rhondda roedd llawr y stafell yn pwyso i un ochr. Bydde chwarae marblis wedi bod yn amhosib.

Pan oeddwn yn fy arddegau cynnar byddwn i, Dad, Mam a Wyn yn mynd i aros gyda theulu fy nhad yn Rhydychen, ble roedd tri ewythr a dwy fodryb wedi mynd i weithio yn ffatrïoedd ceir Cowley. Byddai hyn yn agoriad llygad i fi, a chan ei bod hi'n haf, bydden ni'n crwydro o gwmpas y gwahanol golegau a'u hadeiladau prydferth. Wrth gerdded y strydoedd un diwrnod ger man croesi dyma lori Mansel Davies yn stopio ar y golau coch – cyn dyddiau cân enwog y Welsh Whisperer!

O Rydychen bydden ni'n mynd i Lundain ar y trên ac aros yn Paddington yng Ngwesty Tregaron. Mae sawl gwesty ger yr orsaf enwog ag enw Cymraeg neu Gymreig, fel Gwesty'r Cardiff. Fe wnaeth fy mhrofiad o'r ddinas ddylanwadu ar y gân 'Twristiaid yn y Dre' a'r lein 'Ma pobl yno yn chwilio am y gwir' pan welais res o fynachod Bwdïaidd yn cerdded mewn rhes a chanu clychau. Gan nad oeddwn i ond tua thair-ar-ddeg, wyddwn i ddim beth oedd y rhain. Daeth y geiriau 'Mae awyrgylch y chwedegau yma' o ymweliad â Stryd Carnaby, ac arweiniodd hynny yn y pen draw at 'Grwfi Grwfi', cân o'r *Rifiera Gymreig*. Mae'r enw'n cyfeirio at fy hoffter o fandiau ac artistiaid y 60au, protestiadau yn erbyn rhyfel Fietnam, a Radio Caroline pan oedd y term 'groovy' yn ffasiynol iawn.

Cân ddinesig arall yw honno am fy ffrind Trevor Hughes – 'Trev a'i Dacsi i'r Sêr' – yn gyrru rhai pobl enwog yn ei gab fel Martin Kemp o Spandau Ballet, a fynnodd ei fod yn ei alw'n 'Martin'. Mae Trev wedi'n helpu ni lawer gan gynnwys cario telyn Llio Rhydderch o Sir Fôn mewn bws-mini i'r Spitz Club yn yr East End pan oedd hi'n perfformio gig i lansio un o'i CDs ar *fflach:tradd*. Ar ben hynny mae ei lais i'w glywed ar ddechrau'r gân: 'Tacsi i'r sêr, *me old china*?!'

Ar ôl cael gwaith yn cymysgu a mastro recordiau Ail Symudiad roedd Lee Mason yn dechrau chwarae mwy o gigs i ni. A hefyd pan nad oedd Dafydd nac Osian ar gael bydde John Honour yn chwarae'r drymiau. Roedd y ddau yn ffitio mewn yn dda i hiwmor y grŵp ac roedd dawn gerddorol y ddau yn golygu na fyddai angen ymarfer yn ormodol. Yn 2012 rhyddhawyd yr EP *Anturiaethau y Renby Toads*; pum cân i gyd. Rwy'n hoffi chwarae gydag enwau fel fy enw fy hun ar ddiwedd neges ebost – 'Rich T. Biscuit' neu 'Cyfoethog Jones', a'r un peth gyda'r Renby Toads – sef Tenby Road, y stryd lle magwyd Wyn a minnau a lleoliad Fflach.

Cafodd Wyn a fi ein geni yn Aberteifi, ond mae'r dyddiau yna yn anffodus wedi hen fynd, a nawr Hwlffordd neu Gaerfyrddin yw'r llefydd geni, er bod uned *minor injuries* yn y dre. Mewn holiadur i bapur bro *Y Dwrgi* gofynnwyd i fi pwy oedd fy arwr Cymraeg. Ac er yn edmygwr mawr o lawer, gan gynnwys Gwynfor Evans, Triawd Penyberth, Caio Evans, John Charles a Gareth Bale, dewisais Aneurin Bevan, am iddo sefydlu'r Gwasanaeth Iechyd Gwladol (NHS). Yn syml, creodd rywbeth arbennig iawn, gan roi chwarae teg i bawb, ac yn ei eiriau anfarwol, 'A free National Health Service is pure Socialism and as such it is opposed to the hedonism of capitalism.' Does dim rhyfedd bod cerflun o'r dyn yng Nghaerdydd.

Mae'n fater o eiddigedd i lawer o wledydd fel America, er enghraifft, ble chi'n gorfod talu os ydych yn sâl. Dywedodd ffrind oedd wedi gweithio yno bod pobl yn methu deall sut mae hyn yn digwydd neu'n bosib, ac rwy'n dyst o ofal yr NHS, hynny ar ôl fy afiechyd meddwl. Dyna pam ysgrifennais 'Y Da a'r Cyfiawn Rai' am feddygon a nyrsys sy'n gorfod wynebu heriau mawr y dyddiau hyn. Rhain yw gwir arwyr cymdeithas, ddim y selébs bondigrybwyll sy'n mynnu sylw ac sy'n bragian eu ffordd trwy fywyd yn y papurau a'r cylchgronau, ac sy'n clegar ar raglenni teledu. Rhowch i mi bobl gyffredin bob tro.

Roedd Osian wedi penderfynu mynd i Goleg Technegol Hwlffordd a dilyn cwrs goginio ar gyfer bod yn *chef*. Roedd ei ddwy fam-gu yn hoff o goginio. Roedd pice ar y maen Mary yn enwog yn y Sioe Fawr ar stondin Fflach. Ac roedd mam (Betty) yn dda am goginio prydau gyda mecryll a sewin. Dechreuodd Osian weithio yn Abergwaun ym mwyty Myles Pepper, a Chastell Malgwyn, Llechryd. Wedyn, tua 2013, symudodd i Gaerdydd gyda'i bartner, Catrin, a gweithio yn Cathedral 73, ac ar ôl hynny yn yr Orchard yn Radyr. Ond breuddwyd y ddau oedd dod adre i'r ardal a dechrau busnes, felly dyna eni cwmni Crwst trwy bobi bara yn eu cartref – a nawr mae caffi ganddyn nhw yn Aberteifi sydd yn boblogaidd iawn. Mae'r cerddorion Owen Powell a Gruff Rhys wedi bod yno, a dw'i a'r wraig yn mynd â bara rownd siopau lleol. Dw'i wrth fy modd yn codi'n gynnar!

Mae rhyw hoffter masocistaidd gen i o fod yn hwyr i bob man, ac unwaith tra'n chwarae'r organ yng Nghapel Penybryn ro'n i ddeg munud yn hwyr a'r pregethwr yn dweud, 'Nawr mae'r organydd wedi dod, fe allwn ni ddechrau'r gwasanaeth!' Dw i'n hoffi coginio hefyd, yn enwedig cyri. Ar ôl darllen am deml Hindŵaidd yn India yn darparu bwyd i bobl dlawd, ysgrifennais 'Anrhegion Annapurna'. Duwies bwyd a maeth yw Annapurna, a bydd penaethiaid y temlau yn paratoi bwyd am ddim i'r tlodion.

Dwi'n hoffi bwyd Tsieineaidd hefyd. Ac unwaith pan o'n i'n ifanc, ar ôl bod o amgylch y dre a chael cwpwl o shandis, gwnes i a ffrind fynd i Happy City i gael *sit down*. Penderfynodd fy ffrind archebu glasied o win, hynny'n ddigon bonheddig, nes i'r gweinydd arllwys dim ond y mymryn lleiaf yn y gwydr. 'There's not enough in there to drown a ******* mouse!' wedodd fy ffrind. Wedyn fe esboniodd y gweinydd mai rhoi ychydig iddo i'w flasu oedd e! Stices i gyda'r lager!

Dwi wedi bod mewn llefydd braf i fwyta, ond y mwya crand o bell ffordd oedd y Savoy yn Llundain pan gafodd *fflach:tradd* wahoddiad i'r 'Radio 2 Folk Awards' a chael ein bwrdd ein hunain. Roedd Ceri Rhys Matthews a Julie Murphy gyda fi, felly daeth cyfle hefyd i fi roi ambell CD i gyflwynwyr a newyddiadurwyr. Pan ddaeth yn amser mynd i'r tŷ bach, fe fu bron i fi neidio allan o 'nghroen pan, wrth fynd trwy'r drws, daeth llais uchel o'r gornel. 'Good evening sir!' Yn eistedd yno roedd dyn mewn *top hat* a siaced hir ddu a botymau aur yn disgleirio. 'Everything all right sir?' 'Yeeesss, thanks,' atebais mewn ychydig o sioc. Wnes i ddarganfod bod e'n ofalwr yn nhoiledau'r dynion. Yno, wrth ymyl pob basin golchi gyda'u tapiau aur roedd tywelion gwyn. Wrth i fi eistedd i fwyta, dyma gael y napcyn mwya anferth dwi wedi ei weld erioed, digon o faint i Mr Creosote yn ffilm Monty Python, *The Meaning of Life*. Yn anffodus doedd bydjet Fflach ddim yn caniatáu aros yno a theithiwyd adre'r un noson. Ond arhoswyd yng ngwasanaethau Leigh Delamere a chael dished o de a Kit-Kat.

Roedd Dafydd wedi cyd-sgrifennu 'Ras y Broga Melyn' ar gyfer yr albym *Rifiera*, cân am y peryglon mae anifeiliaid, bywyd gwyllt, coed a phlanhigion yn eu hwynebu yn fforestydd y byd, a'r 'Ras' yw'r brys i safio'r amgylchfyd. Defnyddiwyd y broga bach melyn fel esiampl.

Ar yr EP *Renby Toads* fe wnes i gyd-ysgrifennu gydag Osian y gân 'Lawr o'r Nen' am gamp Felix Baumgartner o Awstria yn gwneud y *skydive* uchaf erioed. Roedd 24 milltir i fyny! Dw'i fy hun yn casáu uchder, ac ar un adeg o'n i ddim yn hoffi hedfan. Roeddwn i yn fy mhedwardegau cynnar cyn mentro, a hynny o Heathrow i Barcelona. Collais gownt o'r pili-palas yn fy stumog cyn hyd yn oed gyrraedd y maes awyr – roedd nifer o wahanol dabledi gen i gyda'r bwriad o dawelu popeth yn fy nghorff! O'n i ddim yn sylweddoli'r holl baldoreiddio fyddai'n digwydd wrth tshecio i mewn. (Rhowch i mi gwch bob tro!) Diosg fy sgidiau a'r belt; popeth wedi ei ddatgelu, o'n i'n meddwl. Ond wrth fynd trwy ryw fath o gât, canodd y larwm, a rhuthrodd heddlu â gynnau tuag ata'i. 'Go back! Go back!' oedd y gorchymyn. Ond o'n i'n gwybod nad oedd heroin wedi'i strapio amdana'i. Y rheswm am y larwm oedd y ffoil o gwmpas y tabledi – ac roedd gen i lwyth o dabledi o bob lliw a llun. Felly, ar ôl tipyn o ffws, ges i fynd trwyddo. Ar yr awyren ddwedais i'r un gair – doedd Ann ddim wedi 'ngweld i mor dawel erioed.

Yn ôl lawr i'r ddaear, ac ar yr 'Ail Symudiad Tour Bus' ble roedd lot llai o nerfusrwydd. Yna cael gwahoddiadau i chwarae yng Nghlwb Canol Dre, Caernarfon a Chlwb y Diwc, Caerdydd yn 2012 a chael croeso mawr yn y ddau le. Mae'r Duke Of Clarence yn Nhreganna wedi ei ddymchwel erbyn hyn ac mae'n drueni mawr fod tafarnau traddodiadol y ddinas yn cael eu chwalu. Roedd ynddi *skittle alley* hefyd, a ddyle llefydd fel hyn fod o dan reol gwarchodaeth, dwi'n meddwl. Dim ond The Packet sydd ar ôl yn ardal y bae, ac ysgrifennais gân am adeiladau'n cael eu dymchwel a'u disodli gan rai modern, sef 'Ad-Drefnu'. A hon ynghyd â 'Whisgi a Soda' oedd ein record gyntaf ym 1980.

Mae o hyd yn bleser hefyd i chwarae yng Nghlwb Canol Dre, y tro 'ma gyda'r bardd a pherchennog y Lolfa, Robat Gruffudd. Mae hi wastad yn ddiddorol gwrando ar ei farddoniaeth a'i storïau difyr, a gwnaeth y noson a'r chwerthin fynd ymlaen drwy barhau yng nghwmni Robat, a Geraint ac Eleri Løvgreen. Roedd y brecwast yn Chez Løvgreen yn flasus tu hwnt, fel arfer.

Ar ôl blwyddyn gymharol dawel i'r band yn 2013, daeth gigs yn Eisteddfod Llanelli'r flwyddyn ganlynol, a hynny gyda'r whammy dwbwl o gig ar y Maes a gyda Chymdeithas yr Iaith yng ngwesty'r Thomas Arms yn y dre gyda'n hen ffrindiau Catsgam. Dwi'n hoff iawn o'r band yma, ac mae llawer o sbort a thynnu coes o fewn y grŵp. I fi mae Rhys Harries yn un o gyfansoddwyr gorau Cymru, er ei fod yn rhy ddiymhongar i feddwl hynny. Roedd y *craic* ar y noson yn wych, gydag Edward a'i hiwmor ffraeth, a Rhys Powys – a chwaraeodd i Ail Symudiad unwaith yn yr Angel yn Aber. Dwi'n cofio crys Dyfrig y drymiwr yn serennu yn y prawf sain a chlywed llais melodaidd Catrin Brooks, neu 'Brooksy' fel mae'r bois yn ei galw. Roedd Lee'n methu neud y gig, felly gwnaeth Geraint Løvgreen chwarae'r allweddellau ar fyr rybudd ac ar y Maes hefyd. Ry'n ni'n dipyn o ffrindiau!

Lansiwyd y llyfr *Fflach o Ail Symudiad* gan Y Lolfa'r flwyddyn honno gyda thaith hyrwyddo fer a chymorth mawr Disgo Aled Wyn. Ry'n ni hefyd yn ffrindiau ers yr 80au, ac mae'n braf o hyd bod yn ei gwmni. Bydd llawer o dynnu coes a sylwadau sarcastig o'r ddwy ochr fel: 'Ti wedi dysgu'r pumed cord eto?!' Mae ei ddisgo yn ychwanegiad gwych ar gyfer unrhyw achlysur. Mae ei fam Iris yn byw yn Aberteifi, a hawdd yw gweld o ble mae'r bachgen o Rosllannerchrugog yn cael ei hiwmor.

Roedd gig gyntaf y daith yn y Saith Seren yn Wrecsam, ac roedd John Honour yn drymio. Wrth i ni osod yr offerynnau, wnes i byth feddwl y bydde rhywun o'r gorllewin yno, ond dyma Phil a Janet Evans o Gross Hands yn cerdded mewn, ac wedyn Dilwyn a Llinos Roberts Young o Aberystwyth! Ar ddiwedd y noson aeth y pedwar ohonon ni ar saffari i ffeindio lle gwely a brecwast ym mherfeddion Dyffryn Clwyd. Ac ar ôl cyrraedd, cael brechdanau. Yn ogystal cafodd Wyn ei gwrw sinsir, ac Aled, John a fi yn cael can bach yr un cyn teithio yn y bore i lansiad Caernarfon o'r llyfr. Maeddwch hynna, Iron Maiden!

Stori Wir

I'r moroedd unig yn '87
Roedd criw yn barod, barod am daith
Trwy bob storom i gyrraedd y nod
Er mor galed oedd hyn
Heibio Ffrainc ac heibio Sbaen
Dros y tonnau nawr o'u blaen
Daw iwtopia yn y pen draw
Ac mor hyfryd fydd hyn (x 2)

Y stori wir sy'n galw ni nôl
Galw ni nôl, galw ni nôl
Y stori wir sy'n galw ni nôl
Galw ni nôl, galw ni nôl – fel hyn

Yn ecsotica daeth tro ar fyd
Diwedd gwledda a'r persawr hud
Y llynges yn rheoli'r dydd
Er mor ddiflas oedd hyn
Hwylio adre â'r cargo gwyrdd
Gwrthryfela a neb yn ffrind
Nôl i Eden oedd gobaith rhai
Ac anodd oedd hyn (x 2)

Y stori wir...

Llong debyg i hon oedd y Bounty

Dw'i erioed wedi bod yn gefnogwr i'r *underdog*, rhywun sy'n nofio yn erbyn y llif. Rwy'n credu geiriau cân enwog Huw Jones, 'Daw dydd y bydd mawr y rhai bychain, Daw dydd ni bydd mwy y rhai mawr'. Mae'n wir am bob maes, yn cynnwys byd y dartiau, sydd wedi fy niddori i ers tro. Yn hynny o beth dw'i mewn cwmni da – mae Stephen Fry yn ffan o'r gêm. Mae'r gwahanol wisgoedd mae'r cefnogwyr yn eu gwisgo yn ddoniol tu hwnt hefyd, yn amrywio o Batman i griw o ddynion wedi'u gwisgo fel Ali G. Bechgyn a merched yn gwisgo mewn oren i gyd wedyn, ac wedi peintio'u hwynebau yn lliwiau'r Iseldiroedd wrth gefnogi Michael van Gerwen neu Raymond van Barneveld.

Flynyddoedd yn ôl pan ddechreuais i ddilyn dartiau, ymhlith yr enwau mawr roedd y Cymry Leighton Rees ac Alan Evans. Hefyd y Saeson Eric Bristow, John Lowe a Bobby George. Mae Bobby'n hysbyseb dda am emwaith gyda'i fodrwyau a'i gadwyni aur, chwaraewr arall oedd yr Albanwr Jocky Wilson. Roedd Jocky yn gryn ffefryn gen i gyda'i dalent enfawr – ond wrth gael ei gyfweld ar deledu, byddai'n eitha hunanymwybodol. Fe fedren i uniaethu â'r dyn swil o Kirkcaldy yn iawn. Cyn dyddiau'r band doedd dim llawer o hyder gen i o gwbwl, ac ro'n i'n gorfod cael cymorth 'John Barley', sef enw mam am gwrw, i fagu hyder. Pan fyddwn i'n tueddu i seboni ychydig ar ôl bod allan yn y dre, fe fydde hi'n dweud, 'Ma John Barley yn siarad heno!'

Dwi'n meddwl bod swildod yn medru bod yn rhywbeth rhinweddol. Er fy mod i'n gallu clebran gryn dipyn, fel mae fy ffrindiau'n gwybod, dwi'n berson swil yn y bôn. Fe welwn i hyn yng nghymeriad Jocky. Ac er fy mod i wedi ymddangos ar deledu sawl gwaith gydag Ail Symudiad, dwi'n dal heb fod yn hollol gyffyrddus gyda'r profiad. Mae'r radio ychydig yn haws i fi. Penderfynais sgrifennu cân am Jocky o'r enw 'Rwy lawer rhy dew Eamonn', yn dilyn ei gyfweliad gydag Eamonn Holmes yn ystod cystadleuaeth dartiau'r byd, wrth ymateb i gwestiwn ynglŷn â'i chwarae. 'I'm far too fat Eamonn; look at my fingers!' medde fe. Dyna naturioldeb a gonestrwydd – dim bragian fod gwell i ddod. Gwnaeth Jocky fyw bywyd lliwgar, ac roedd yn briod â merch o Ariannin adeg Rhyfel Ynysoedd y Falklands a chafodd amser caled oherwydd hynny. Ond yn sicr roedd yn un o sêr y gêm. Cafodd ddiweddglo trist i'w fywyd. Pan fu farw yn 2012 roedd yn feudwy ac yn byw mewn fflat un stafell ar y stad ble cafodd ei fagu.

Fues i'n chwarae dartiau yn y Grosvenor, Aberteifi yn y saithdegau, ac ar ôl sawl degawd mae chwaraewr byd-enwog gyda ni o'r enw Jamie Lewis, mab Mark a Helen Lewis, ac ry'n ni'n falch iawn ohono. Dyna sut ddaeth y gân 'Jamie ar yr Oche' i fodolaeth. Fi wnaeth ysgrifennu'r geiriau, a Wyn a fi wnaeth gyfansoddi'r dôn. Cafwyd help rhai o fois y dre yn y cytgan: Mark (ei dad), Kevin Phillips, Mark Jeremiah, Andrew 'Tommo' Thomas a Paul Jones, a chafwyd tipyn o hwyl wrth recordio. Mae Jamie eisoes wedi llwyddo i fynd mor bell â'r rownd gynderfynol a gobeithio y bydd yn bencampwr y byd ryw ddydd.

Dw'i hefyd yn hoffi *Bullseye*, y cwis dartiau gyda Jim Bowen a Tony Green, sy'n cael ei ail-ddangos ar y teledu. Mae'n gallu bod yn rhaglen gawslyd wrth gwrs, a gwobrau fel pâr o slipers. Ac mae rhai o ddywediadau Jim yn medru bod yn *non-PC*: 'Of course you can't count, you're Irish!' Neu, 'What's the relationship between you two lads? Sorry I didn't mean ... you know!' A byddai Tony wrthi hefyd: 'My wife's new bra is like a sheepdog.' 'Why's that, Tony?' 'Cos it rounds them up and points them in the right direction!' A'r enwog, 'Look what you *could* have won!' A char Mini newydd sbon yn ymddangos ar y set.

O ran y band, mae Ail Symudiad yn sefydlog erbyn hyn, sef Lee ar y gitâr rythm a blaen a llais cefndir, Dafydd ar y drymiau, Wyn ar y bâs a llais cefndir, a fi ar y gitâr rythm a llais. Ac mae'r gigs wedi cynyddu ers ein pen-blwydd yn ddeugain oed yn 2018 – ond mae 'na sgwad gyda ni o hyd, ac enwau newydd fel Iwan Hughes o Strwmbwl, Abergwaun, drymiau, a Geraint Williams o ardal Llanddarog, gitâr flaen/rhythm.

A dweud y gwir, dwi'n mwynhau chwarae'n fwy nag erioed, a'r ffaith nad ydyn ni'n perfformio'n rhy aml yn cadw'r grŵp yn ffres. Ond petai rhywun wedi dweud wrtha'i ym 1978 y bydde Ail Symudiad yn mynd i bara am ddeugain mlynedd, bydden i wedi chwerthin lot. A dyna'r gyfrinach, y chwerthin. Fe ddywedodd Gwilym Bowen Rhys, y trwbadŵr talentog, wrtha'i y dylwn i fod yn stand-yp. Dw'i wedi meddwl am y peth ond mae'n un peth bod yn ddoniol gyda'r band – a fyddwn i'n wahanol wrth fy hunan ar lwyfan? Dw'i ddim mor siŵr, er gwnes i ddarganfod trwy *Ancestry DNA* fy mod i'n perthyn i Esyllt Sears! Gweles i Esyllt (cyn ges i'r wybodaeth honno), Siôn Owens (Uumar – gynt o Bandana), Sarah Breese a Steffan Evans mewn noson gomedi yn Aberteifi, a roedden nhw'n wych. Dwi'n hoff iawn o Tudur Owen ac Elis James hefyd, ac yn Saesneg, Mickey Flanagan, Kevin Bridges, Peter Kay a Sean Lock.

Mae fy sylwadau ar y llwyfan mwy neu lai ar y pryd. Hynny yw, sai'n planio llawer ymlaen llaw – ac wrth gwrs, mae'n rhaid i'r gig fod mewn clwb neu dafarn. O flaen torf fawr, does dim pwynt dweud gormod. Ond dyma un enghraifft, a dwi'n amrywio'r sylw hwn: 'Ma'r gân nesa, "Anifeiliaid", am lygoden Ffrengig o'r Afon Mwldan yn tyfu i faint dyn, ac yn gwisgo jîns, crys a thei ac yn taflu dartiau yn nhafarnau'r dre. Fel maen nhw'n dueddol i neud!' Gyda llaw, mae'r *League of Gentlemen* wedi dylanwadu arna'i hefyd.

Dwi'n gredwr mewn parchu a chael dealltwriaeth rhwng pob crefydd: Cristnogaeth, Islam, Iddewiaeth a gwahanol grefyddau India i enwi'r rhai amlycaf. Fe fydda i hefyd yn parchu ieithoedd a thraddodiadau gwledydd eraill, ac mae'n helpu bod Cymru'n wlad ddwyieithog. Felly, beth sydd yn siomedig yw gwlad sy'n honni fod yn 'Land of the Free', sef UDA, gwlad dw'i wedi'i pharchu yn y gorffennol ond sy'n mynd yn ynysig a hiliol, yn enwedig ble mae Mwslemiaid a Mecsicaniaid yn y cwestiwn – a'r pethau echrydus sy'n cael eu dweud gan arweinwyr y wlad. Mae eu rhagrith yn anghredadwy. Maen nhw'n beirniadu Rwsia am ymyrryd ym materion gwledydd eraill (er nad yw Rwsia'n berffaith) – ond mae'r UDA yn gwneud yn union 'run peth. Roedd ymyrryd yn Irac yn drychineb ac yn rhyfel anghyfreithlon, fel y dywedodd Barack Obama. Cân am eu rhagrith ac am y wal maen nhw'n ei hadeiladu yw 'Llongau'r Byd'. Mae hon ar ein albym diweddaraf a gyhoeddwyd yn 2018. Dim ond gobeithio y bydd pethe'n gwella i bobl y wlad a'r mewnfudwyr o wledydd eraill sy'n ceisio cael cartref yno. Ac y bydd 'Y Golau Newydd' – fy nghân i gantores enillodd y Waw Ffactor a Chân i Gymru, Einir Dafydd – yn dod i'w rhan.

Wrth sôn am bobl o wledydd eraill, roedd yn bleser cael mynd gyda theulu fy ffrindiau Owain a Jayne Young, Caleb, Gwenllian a Daniel; Dafydd, Osian, Catrin; Euryl ac Ann Jones a'u mab Iwan i'r Ewros yn Ffrainc, a chwrdd yno â Gary Bach, Gareth a Toshfan. Heblaw'r cynnwrf o weld Cymru'n gwneud mor dda, roedd hi'n grêt cymysgu gyda ffans o Ewrop gyfan. Roedd y cyfeillgarwch yn dwymgalon ac yn emosiynol ar adegau; canran fach *iawn* oedd yn creu trwbwl. Ac wrth gwrs, hynny oedd y wasg yn rhoi sylw iddo. Rhoddodd y gystadleuaeth hon Gymru ar fap y byd gyda phobl o wledydd fel Hwngari, Awstria, Slofacia, Sbaen, Rwsia, Gwlad Belg a Gwlad yr Iâ ac ati ddim yn sylweddoli bod ein hiaith ein hunain gyda ni, a'r Wal Goch yn canu'r anthem gyda'r fath angerdd na chlywyd erioed o'r blaen. Roedd cerdded y strydoedd a'r caffis a môr o goch ym mhob man, ac aros yn y gwahanol westai a fflatiau, yn brofiad i'w gofio. A'r pleser o gwrdd â ffyddloniaid fel Aled Gwyn a Betsan, Dewi Prysor, y Løvgreens, Tim Hartley (Gôl), Rhys ei fab a Gronw. Gofynnodd Gronw un dydd, 'A oes *clone* ohonot ti'n mynd rownd?!' O'r miloedd ar filoedd oedd yno, y rhain fyddwn i'n eu gweld fwyaf aml. Ac wrth gwrs, eraill o'n i'n nabod fel Gang Aberteifi, gan gynnwys Aled Evans, prif heclwr Ail Symudiad, a Kevin, Gerallt a'r 'Boncath Massive'.

Daeth y freuddwyd i ben yn erbyn Portiwgal, ond dyna beth oedd taith! Wna'i *byth* anghofio'r gwmnïaeth, y gemau a'r awyrgylch anhygoel bob tro, y bwyd bendigedig ei flas ac ambell *bière blonde*. Mewn stesion rheilffordd ym Mharis wrth aros i fynd i'r maes awyr, dyma fachgen yn neidio'r ciw gan ymddiheuro. Roedd cap glas CCFC ar ei ben. 'Sorry lads, I'm in a rush, I got put in clink last night,' medde fe. 'Why, what did you do?' gofynnais. 'I was the one with the red flare,' atebodd. A chofiais i fi weld y *flare* yma ychydig yn nes i lawr yn yr eisteddle y tu ôl i'r gôl. Gan wybod am y tshecio cyn mynd mewn gofynnais, 'But where did you hide it?' 'Down by my b******s!' atebodd gyda gwên.

Yn lolfa ymadael y maes awyr cefais sgwrs gydag Owen Powell, un arall a gwrddais draw yno. Wrth ddangos fy nhocyn, bu yna ychydig o ddadlau am ddilysrwydd fy enw. Ond wnes i fynd trwyddo, a cherdded i fyny'r grisiau mewn i'r awyren a lawr at fy sêt. A dyma ddyn yn eistedd yno, a sylweddolais bod e'n siarad Cymraeg: 'Sori, sêt fi yw hon dwi'n meddwl?' wedais i. Ac Owain Young yn edrych ychydig yn bryderus. 'Na, mae fy enw fi ar y tocyn,' medde'r dyn yn ddigon cwrtais. Yna dyma fe'n dweud ei fod yn fy nabod i. 'O, blincin Ail Symudiad 'to!' medde

Owain, gan gofio Austin Roberts o Fae Colwyn ar y trên i Lens, a sgwrs ddifyr iawn am y byd pop Gymraeg. Enw'r dyn bonheddig ar yr awyren oedd Richard Jones hefyd – ond gwnaeth y stiwardiaid setlo pethe o ran y seddau. Sglodion ym Mhort Talbot ar y ffordd adre, a'r perchennog o Sikh yn dweud, 'Wales were amazing!' A bechgyn a merched tu allan i'r siop tships yn chwarae pêl-droed. Diweddglo perffaith!

Mae gwaith Fflach wedi bod yn amrywiol iawn, fel gwneud CD i Heddlu Dyfed Powys ar gyfer staff sy'n dysgu Cymraeg, a'r cymdogion yn synnu gweld rhes o geir yr heddlu tu allan. Mater o amser oedd hi cyn bod yr holi'n dechrau! Pobl wedyn yn methu credu bod trefnydd rhai o ganeuon Elton John, sef Del Newman, wedi gweithio yn y stiwdio ac ar CD y tenor dawnus Robyn Lyn.

Gwaith arall yw lansio albyms, ac ry'n ni wedi gwneud hynny yn Llundain deirgwaith, ac yn naturiol yn lleol. Yn eu plith roedd Delyth ac Angharad a'u CD hyfryd *Adnabod*. A thair albym Dewi Pws, oedd bryd hynny yn byw yn Nhresaith. Mae ei ddawn arbennig i ddiddanu yn chwedlonol a'i ganeuon gystal ag erioed – ac roedd Storm Dewi yn chwythu mewn trwy ddrws Fflach ar adegau. Ond byddai'n gwneud te iddo fe'i hunan, ac i fi! Dro arall, dyma weithio ar albym Lilwen a Gwenda, y ddeuawd swynol o Gwm Gwaun yn Llwyngwair, Trefdraeth. A chwarae teg i raglen *Heno*, fe fyddan nhw yno bron bob tro pan fyddwn ni'n lansio albym. Ar y noson arbennig hon, roedd y Manor yn llawn, a chodwyd dros £2,000 at Ymchwil Cancr.

Fel dw'i wedi dweud, mae *Y Man Hudol* (teitl ein CD diwethaf) yn golygu llawer i fi, a sgrifennais gân o'r enw 'Llwyngwair'. Ynddi rwy'n disgrifio Afon Nyfer yn llifo gerllaw, traeth Trefdraeth a mynydd Carn Ingli yn sefyll o'u blaen. Pan oedd Dafydd ac Osian yn ifanc byddent yn chwarae snwcer, ac mae gan Lwyngwair ddau fwrdd maint llawn. Don Newcombe oedd eu tiwtor pan oedd y ddau'n aelodau o Academi Terry Griffiths yn Llanelli. Beth bynnag, un noson dywedodd Don bod syrpreis ganddo, ac i mewn y cerddodd Dominic Dale. Roedd y ddau'n dod o Drefach Felindre ger Castellnewydd Emlyn, a Dominic yn chwarae ym Mhencampwriaeth y Byd yn aml. Roedd y bois mewn sioc, a chliriodd Dominic y bwrdd yn rhwydd a dangos iddynt sut i wneud ambell shot. Roedd yn fachgen hyfryd, ac yn y bar wedyn clywyd straeon ganddo am y byd snwcer, a fi, y bois a Wyn yn gwrando'n astud.

Un o'r gigs gorau y'n ni wedi neud ers sawl blwyddyn oedd Gŵyl Nôl a Mlân yn Llangrannog yn 2018. Er i ni fod wedi chwarae yno o'r blaen, roedd hon yn noson sbesial gyda channoedd yn gwrando a'r môr yn gefndir i'r llwyfan. Roedd hi'n noson braf hefyd, a hynny'n helpu. Pan mae'r gynulleidfa'n mwynhau gymaint, mae'r set yn hedfan heibio ac erbyn y diwedd roedd criw o ferched yn y ffrynt ishe i ni chwarae 'Garej Paradwys'. Bu'n rhaid i ni wneud hynny – deirgwaith yn olynol! Ac er yn gwerthfawrogi eu brwdfrydedd a'u cefnogaeth, daeth yn bryd i'r car adael y 'Garej'!

Pentref ger y môr yw Llangrannog wrth gwrs. A darllenais am gystadleuaeth ddiddorol mewn rhyw bapur neu'i gilydd am bobl ifanc yn rhai o drefi de Lloegr fel Brighton yn herio'i gilydd i redeg ar hyd y ffrynt gyda phecyn o sglodion wedi ei dala i fyny. Yr her oedd rhedeg mor bell â phosib cyn i wylan hedfan lawr a dwyn y sglodion! Yn rhan o'r un stori yn y papur roedd hanes gwylan yn mynd mewn i siop a gadael gyda phecyn o greision cyn ei agor ar y stryd tu fas. Fe gymerodd perchennog y siop at y wylan gymaint fel iddo adael i'r aderyn wneud hynny bob dydd. Dyna pam sgrifennais i 'Gwylan y Sgadan'. Gyda llaw, sgadan yw'r gair lleol am *herring*. Ac mae geiriau'r gân yn rhybuddio pobl rhag cario bwyd neu hyd yn oed cyri ar lan y môr.

Gŵyl arbennig arall yw Tregaroc, ac roedden ni'n ffodus i ymddangos yno. Ry'n ni wedi bod nôl yng Nghlwb Canol Dre, Caernarfon hefyd a mwynhau mas draw fel arfer. Mae Noson Pedwar a Chwech, sy'n hyrwyddo gigs a digwyddiadau eraill yno, yn wych. Yn Aberteifi fe fyddwn ni, sef Steve Greenhalgh, Bethan Williams a fi yn hyrwyddo Gigs y Seler ar gyfer adloniant Cymraeg. Ymhlith yr artistiaid sydd eisoes wedi ein diddanu yno mae Neil Rosser a'r Band, Lowri Evans, Gai Toms, Mari Mathias, Rhosier Morgan, Catsgam, (Tecwyn Ifan a Meic Stevens yn Sesiwn y Seler) Triawd Geraint Løvgreen, Ffenestri (ydyn, maen nhw nôl!) a'r band yna o Tenby Road, Ail-rhywbeth neu'i gilydd. Mae Steve yn dysgu Cymraeg ac yn enghraifft dda o rywun o Loegr sy'n cyfrannu at fywyd cymdeithasol ardal. Mae'r artistiaid wrth eu bodd yn chwarae yno yn ei gwmni ym Mar y Seler.

Mae Castell Aberteifi hefyd yn cynnal nosweithiau Cymraeg ac mae Jac Davies a'i staff i'w llongyfarch am drefnu'r rhain. Ry'n ni wedi chwarae mewn noson lawen ac i ddysgwyr Cymraeg yno sawl gwaith. Un o'r bandiau sydd wedi bod yno yw Band Pres Llareggub, ac mae'r Castell eisiau cynnal mwy o ddigwyddiadau Cymraeg. Beth sy'n hyfryd yw bod yr adeilad hynafol wedi denu mwy o ymwelwyr i Aberteifi, yn enwedig o dramor. Ac mae'n braf clywed Almaenwyr a rhai o'r Iseldiroedd yn trafod y Castell, a phobl o Siapan a Tsieina yn tynnu lluniau ac yn 'Edrych Trwy y Camerâu'!

Mae'r môr wedi dylanwadau arna'i ac mae 'na gyfeirio ato yn nifer o 'nghaneuon – 'Y Cei a Cilgerran', 'Rifiera Gymreig', 'Trip i Llandoch', 'Yr Ail Waith', 'Ogof ger y Môr', 'Llongau'r Byd', a 'Gweld y Môr', a ysgrifennais i Martin Beattie, y gŵr â'r llais melodaidd.

Sawl blwyddyn yn ôl, gwelais y ffilm *Mutiny on the Bounty*, yn serennu Anthony Hopkins fel Capten William Bligh a Mel Gibson yn actio Fletcher Christian, y *First Mate* ac arweinydd y gwrthryfel. Fe gafodd yr hanes argraff fawr arnaf a ro'n i eisiau gwybod mwy. Felly erbyn hyn mae gen i bedwar llyfr ar y testun gyda ffeithiau diddorol am y fordaith a orffennodd mewn cymaint o drychineb. Ym 1787 hwyliodd y Bounty o Portsmouth gyda'r dasg o dyfu planhigyn y *breadfruit* yn Tahiti i'w drosglwyddo wedyn i India'r Gorllewin i'w gynnwys ym mwyd y caethweision. Roedd bywyd morwr yn galed iawn yr adeg honno felly roedd cyrraedd Tahiti ar ôl deg mis yn fendith – roedd menywod Tahiti yn rhedeg trwy'r tonnau i'w croesawu nhw. Ond cyn hir datblygodd tensiwn rhwng Capten Bligh a'r criw, ac yn enwedig Fletcher Christian a oedd yn nabod teulu Bligh cyn mynd i'r ynysoedd. Roedd Fletcher o deulu bonedd ger Cockermouth, Cumbria ac fe es i Ardal y Llynnoedd ddwy flynedd yn ôl gan ymweld â'r dre, a oedd hefyd yn gartref ar un adeg i William Wordsworth, a oedd yn nabod teulu'r Christians. Yn ôl rhai, roedd Bligh yn greulon, ond mae rhai haneswyr modern yn credu'r gwrthwyneb erbyn hyn. Taflwyd cwch bach y Bounty i Bligh a'i gefnogwyr, ac yn wyrthiol ar ôl taith o 3,618 o filltiroedd darganfuwyd Ynys Timor, a'r dynion yn wan ac yn newynu. Darganfod ynys arall, sef Pitcairn, wnaeth Fletcher Christian, y gwrthryfelwyr, a rhai menywod a dynion o Tahiti. Ond paradwys ffŵl oedd hon, ac er yn saff rhag y Llynges Brydeinig, dim ond dwy filltir o hyd a milltir o led oedd yr ynys, felly roedd trafferthion yn anochel. Daeth gwrthryfel i Ynys Pitcairn hefyd, a lladdwyd Fletcher Christian yn 28 mlwydd oed ymhell o fynyddoedd Ardal y Llynnoedd. Mae disgynyddion y morwyr yno o hyd, ac mae hyn yng ngeiriau'r gân a sgrifennais – gyda'r geiriau yn y llyfr yma yn 'Stori Wir'.

Ceredigion Môr a Thir

Gwlad Ceredig a'r meysydd glas
Llwybrau tawel a'r afonydd braf
Mae'n galw ni heddi fel yr oes o'r blaen (yr oes o'r blaen)
O Soar y Mynydd i Ystrad Fflur
Llefydd o addysg a myfyrdod pur
Rhai o hyd yn pregethu'r Gwir (pregethu'r Gwir)

Ceredigion môr a thir
Mae'n annwyl iawn i ni
Dewch yma cyn bo hir (ail adrodd y cytgan)

1176 daeth Arglwydd Rhys
A'r Steddfod cyntaf i'r dre ar y ffin
Yn Aber mae na drysorau di-ri (trysorau di-ri)
Ger Cors Caron mae'r Barcud Coch
A natur yn serennu'n y fro
Mynyddoedd Cambria mewn urddas a hedd (urddas a hedd)

Cytgan

Traethau Aberporth a Tresaith
A dolffiniaid yn y bae
Ac Eglwys Mwnt dyw hi byth ar gau (byth ar gau)
Cranogwen oedd arwres ei dydd
Ar y llongau yn teimlo'n rhydd
'Y Frythones' oedd ei llwyfan hi (ei llwyfan hi)

Cytgan

Arfordir Ceredigion ger Llangrannog

Fel gwnes i nodi'n gynharach, Eisteddfod Hwlffordd 1972 oedd fy Eisteddfod gyntaf, a finne'n 17 oed. Ond weles i ddim mo'r Maes o gwbl. Un o'r rhesymau dros fynd oedd i weld fy arwr Meic Stevens yn perfformio gyda James Hogg yn 'Gwallt yn y Gwynt'. Yn ystod y dydd, crwydro'r strydoedd gyda ffrindiau wnawn i gan fwynhau ambell beint yn y Bull a'r Bristol Trader. Fe wnes i gwympo i gysgu un noson ar sêt ger yr afon a chael fy nihuno gan ddau heddwas. Yna cerdded nôl i'r maes pebyll tu allan i'r dre yn oriau mân y bore. Treulio llawer o amser wedyn yn dadlau am yr iaith gyda gwahanol bobol. Dwi'n meddwl bod yr Eisteddfod wedi dod yn sioc ddiwylliannol i lawer, rhai ohonyn nhw yn Hwlffordd, falle, ddim yn sylweddoli pa mor gryf oedd yr iaith y tu allan i dde Penfro. Ond roedd y mwyafrif yn ddigon serchog. Caneuon rownd y tân wedyn gyda chyd-wersyllwyr, a llawer mwy ohonyn nhw o ardal Caerfyrddin ac o'r Gogledd na ni bois Aberteifi. Ond roedd hi'n wythnos ddigon hwyliog, er gwaetha'r ffaith bod ein pabell ar ôl glaw trwm yn morio o ddŵr.

Fuodd hi'n dair blynedd cyn mentro eto, a hynny i Eisteddfod Cricieth ym 1975, pan oedd ychydig mwy o sens gen i. Hwn oedd y tro cyntaf i fi fentro i'r Gogledd ac rwy'n cofio mynd i gig gwerin – ac i'r Maes y tro hwn! Roedd car gyda dau fachgen o Gwm Gwendraeth, felly ro'n i hefyd yn cael mynd gyda nhw o gwmpas Gwynedd, ac un diwrnod dyma gerdded hanner y ffordd fyny'r Wyddfa. Bryd hynny roedd yno gaffi bach cyn cyrraedd y copa. Ymlacio yng nghanol Cricieth fin nos wedyn, ble roedd cannoedd yn ymgynnull, a rhai'n methu deall fy nhafodiaith, sef y 'wes', 'wên', 'dwe' 'wmed' (gwyneb) a 'mofiad' (nofio). Ond ym 1976 daeth yr Eisteddfod i Geredigion ac i Aberteifi pan gafodd ei bedyddio'n Eisteddfod y Wes Wes. Fel y soniais yn gynharach, yn aros yn ein tŷ ni oedd Gwilym R. Jones, cyn-enillydd y Goron a'r Gadair a newyddiadurwr gyda'r Herald Cymraeg. Diddorol iawn oedd clywed ei storïau, ac anrhydedd oedd ei gael e gyda ni. Yn gymdeithasol roedd hon yn steddfod wahanol, dim maes pebyll y tro yma, hynny'n golygu colli allan ar y sbort. Yn anffodus hefyd roeddwn i'n gweithio dros wythnos yr Eisteddfod. Roedd hyn ddwy flynedd cyn ffurfio Ail Symudiad.

Ym 1979 oedd ein gig gyntaf y tu allan i'r ardal, a hynny yn Eisteddfod Caernarfon. Yno cefais y profiad gwych o gwrdd â gwahanol fandiau, a chwrdd hefyd ag Eurof Williams, a fu'n gymorth mawr ar ddechrau ein gyrfa. A dyma gyfle i gymysgu â dilynwyr y byd pop Cymraeg. Dwi'n cofio'r cynnwrf o fod y tu cefn llwyfan – ac arno – yn Sesiynau Sgrech a'r Twrw Tanllyd, a gweld y gigs gydag Edward H, Trwynau Coch, Geraint Jarman, Eliffant a bandiau eraill. Mynd mewn i Gastell Caernarfon wedyn a gweld Tudur Lewis a bois Login a Pontyglasier, rhai o'n cefnogwyr cyntaf, yn gweiddi 'Whisgi a Soda!' Dwi ddim wedi cystadlu mewn unrhyw Eisteddfod, ac i fi, y cymdeithasu sy'n bwysig. Fe fydda'i, wrth gwrs, yn edmygu beirdd a'u doniau yn fawr, ac erbyn hyn dwi'n nabod nifer ohonynt ac wedi dod i werthfawrogi eu gwaith. Er bod arna'i ishe geiriadur ambell waith i wybod beth yw ystyr rhai geiriau! Dw'i hefyd yn hoffi corau, cantorion, adroddwyr ac yn arbennig o hoff o fandiau pres.

Erbyn Eisteddfod Gŵyr roedd y grŵp wedi dechrau cael mwy o waith, ac yn cael ein hadnabod wrth gerdded o gwmpas. Braf oedd cwrdd â grwpiau newydd eraill fel Doctor, Enwogion Colledig a Clustiau Cŵn, a hefyd bois y disgos fel Alun ap Brinli, Arwel Disgo'r Llais ac Aled Wyn Phillips. Daeth newid personél ym 1981 gyda Gareth Lewis y drymiwr yn gadael a Robert Newbold yn cymryd ei le – ond roedd Robin Davies yn dal gyda ni ar y gitâr. Yn Eisteddfod Machynlleth 1981, gan ein bod newydd ryddhau ein senglau gyntaf ar label Fflach, sef 'Twristiaid yn y Dre' a 'Geiriau', roedd ein cefnogwyr yn cynyddu. Cafwyd gig bythgofiadwy yn Sesiwn Sgrech, a hynny ym mar cefn yr Angel yn Aberystwyth a Rhys Powys o Chwarter i Un yn westai ar y drymiau.

Pinacl 1982, ynghyd ag ennill Prif Grŵp Roc y Flwyddyn gan ddarllenwyr y cylchgrawn *Sgrech*, oedd Eisteddfod Abertawe, a chael ymron ddwy fil o dorf yn y Top Rank, lleoliad y Twrw Tanllyd y flwyddyn honno. Fe wnaethon ni hefyd berfformio yn y Ganolfan Hamdden. Yn Abertawe hefyd roedd 'stondin' gyntaf Fflach, sef bwrdd yn arddangos recordiau cyntaf y label, a chrysau-t Ail Symudiad. Chwarae teg i Gymdeithas yr Iaith am roi lle i ni.

Ym 1984 cyd-ysgrifennais gân i ieuenctid yr Eisteddfod gyda Iona James o'r enw 'Bedlam' ar gyfer Llanbedr Pont Steffan. O ran Fflach cafwyd brêc o sawl blwyddyn cyn mynd â stondin go iawn, a'r un cyntaf oedd yn Llanrwst ym 1989. Ond roedd y band, er yn chwarae'n achlysurol, yn dawelach y dyddiau hynny. Beth oeddwn i'n hoffi hefyd am yr Eisteddfodau oedd y cymeriadau lliwgar fyddai yno, a byddai rhai'n dod bob blwyddyn i'n gweld ni, fel bachgen o'r Eidal oedd yn dysgu Cymraeg a mynach o Aberhonddu, ac Islwyn Iago o ardal Aberteifi. Roedd y cyfeillgarwch rhwng stondinwyr yn wych, ac un flwyddyn roedd Fflach y drws nesaf i Ferched y Wawr. Fe fyddai boneddiges digon cwrtais yn gofyn i ni bob dydd: 'Allwch chi droi'r gerddoriaeth lawr *ychydig* os gwelwch yn dda?' Ninnau'n ateb, 'Â phleser'. Gan wybod y byddai pice ar y mân a dished o de ar y ffordd!

Peth hyfryd hefyd oedd cwrdd â phobl na fydden ni'n eu gweld efallai drwy'r flwyddyn. Hynny'n arwain at sgyrsiau hir, a threial cofio'u henwau. Ac, wrth gwrs, bandiau ac unigolion yn galw heibio. Roedden ni'n ail-ymuno bob blwyddyn â Mudiad Gwrth-Apartheid Cymru – roedd ganddyn nhw stondin, felly fe fydden ni'n prynu bathodyn gwahanol ar bob ymweliad. Rwy'n dal yn hoff o'u casglu nhw, ac fe fydda i'n cadw llygaid barcud am fathodynnau newydd a gwahanol nic-nacs ym mhob Eisteddfod.

Er nad yw Fflach ei hunan yn mynd i'r Steddfod bellach, dwi'n dal i fynd o bryd i'w gilydd. Mae'r amrywiaeth o stondinau'n cynyddu a'r arddangosfeydd yn ddeniadol. Dw'i wrth fy modd yn ymweld â'r Lle Celf a Chrefft a'r Babell Gwyddoniaeth a Thechnoleg a gweld dyfeisiadau newydd. Bydd gwaith arlunwyr talentog yno hefyd, a dwi wedi cael cyfle i edmygu gwaith llawer ohonynt – a hefyd crefftau pren a lledr. Prynais unwaith eliffant wedi ei greu allan o weiar ym mhabell nwyddau o'r Affrig yn Eisteddfod y Fenni. Mae yna offerynnau a sŵn cerddoriaeth yn ambell stondin ac yn aml clywir miwsig yn wafftan ar y gwynt. Fe chwaraeodd Ail Symudiad ar y Maes yng Nghaerdydd 2018 a chael gig wrth ein bodd. Da o beth oedd y llwyddiant o ddod â'r Steddfod i'r Bae a braf oedd gweld teuluoedd o bob cefndir a chrefydd yn mwynhau.

Tra oedden yn crwydro ardal hynafol y Shambles yng Nghaerefrog ar wyliau daeth galwad ar fy ffôn symudol *hynafol* oddi wrth Wyn. 'Ie … popeth yn iawn … Betty (Mam) yn Ocê?' Fe wyddwn i na fydde Wyn yn galw i ofyn siwt oedd y tywydd. 'Mae'n iawn,' atebodd. 'Ond ma' llythyr wedi dod o'r Orsedd.' 'O ie,' medde fi, 'Beth abiti'r Orsedd?' 'Mae gwahoddiad i ni ymuno!' 'Wyt ti o ddifri?!' Oedd, yr oedd e. A dywedodd y bydde Moelwyn ein tad wedi bod yn falch iawn, ac wrth gwrs mam. Felly, ar ôl dod adre ysgrifennwyd llythyr nôl i ddweud ein bod ni'n derbyn yr anrhydedd o gael ein dewis. Urddwyd y ddau ohonon ni â'r Wisg Werdd yn Eisteddfod Bodedern, Sir Fôn yn 2017. Daeth rhai o'r teulu i fyny a hefyd rhai ffrindiau ac aeth popeth yn iawn yn y seremoni. Daliais ar y cyfle i gael gair sydyn yng nghlust yr Archdderwydd am Glwb Pêl-droed Tref Caernarfon!

Daeth anrhydedd arall i fi eleni trwy gael gwahoddiad i ysgrifennu cân ar gyfer Eisteddfod Ceredigion yn Nhregaron 2019, ac wrth gwrs derbyniais y cynnig. Felly yn syml, dyma'r gân sydd ar ddechrau'r bennod!

Cyfrolau eraill sy'n dwyn atgofion
drwy ganeuon:

LINDA GRIFFITHS

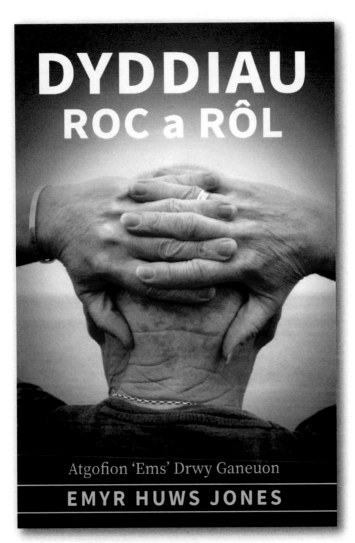

DYDDIAU
ROC a RÔL

Atgofion 'Ems' Drwy Ganeuon

EMYR HUWS JONES

EMYR HUWS JONES

Merch o'r Wlad

ATGOFION DRWY GANEUON

Doreen Lewis

DOREEN LEWIS